하루 한 장 60일 집중 완성

교과도형

초2

B1

여러 가지 도형

"진짜 히어로는 우리 아이들입니다!"

에듀히어로는
우리 아이들이 밝고 건강한 내일을 꿈꿀 수 있도록
긍정적이고 효과적인 교육 서비스를 제공하는 것을
최우선 목표로 하고 있습니다.

그 존재만으로도 든든한 히어로처럼 아이들의 곁에서 힘이 되어주고,
나아가 아이들 각자가 스스로의 인생 속 히어로가 될 수 있도록

우리는 진심과 열정을 다해 아이들과 함께 할 것을 약속 드립니다.

네이버 카페

교재 상세 소개와 진단 테스트
및 유용하게 풀 수 있는
학습 자료를 다운로드 해 보세요.

인스타그램

에듀히어로 인스타그램을
팔로우하시면 다양한 이벤트와
신간 소식을 빠르게 만나보실
수 있습니다.

카카오톡 채널

자녀 수학 공부 상담 및
자유로운 질문을 남겨 주세요.
함께 고민하고
답변해 드리겠습니다.

히어로컨텐츠 HEROCONTENTS

발행일: 2023년 12월 **발행인**: 이예찬

기획개발: 두줄수학연구소

디자인: 4BD STUDIO **삽화**: 1000DAY

발행처: 히어로컨텐츠

주소: 서울특별시 금천구 서부샛길 632, 7층(대륭테크노타운5차)

전화: 02-862-2220 **팩스**: 02-862-2227

지원카페: cafe.naver.com/eduherocafe **인스타그램**: @edu_ _hero

하루 한 장 60일 집중 완성 교과도형은

달라진 교과서와 학교 수업 진도에 맞추어 학습자가 체계적으로 도형을 학습할 수 있도록 안내합니다.

이전의 도형 학습이 도형의 정의와 성질을 외우고, 도형의 측정결과를 계산하는 '결과' 중심의 학습이었다면 지금의 도형 학습은 공간에 대한 이해와 해석(공간감각)을 바탕으로 모양을 인식하고 변화를 유추하고 다양한 방법으로 도형을 측정하고 그 결과를 표현하는 '과정' 중심의 학습입니다.
교과도형은 수학교육의 변화와 핵심을 이해하고 올바른 방향을 제시해 주는 든든한 길잡이가 될 것입니다.

하루 한 장 60일 집중 완성 교과도형은

① 공간감각 ② 도형표현 ③ 도형측정을 중심으로 교과서에서 다루는 모든 도형을 체계적으로 학습합니다.

공간감각

도형을 효과적으로 학습하기 위해서는 공간을 이해하고 해석하는 능력, 즉 '공간감각'이 필요합니다.

공간감각은 경험과 상상력을 바탕으로 머릿속에서 도형을 조작하고 결과를 유추하는 능력입니다. 공간감각은 단시간에 길러지지 않으므로 어릴 때부터 꾸준하게 학습하고 구체적인 경험을 쌓는 것이 중요합니다.
'교과도형'의 각 권 마지막에 있는 '도형플러스'는 각 권의 학습목표와 연계하여 공간감각을 한 단계 더 높여줄 수 있는 내용으로 구성하였습니다.

도형표현

공간에 존재하는 도형은 표현되었을 때 더 큰 의미를 가집니다.

- 삼각형을 찾는 것에서 그치지 않고 다양한 삼각형을 직접 그려 보고 왜 삼각형인지 설명하는 것
- 쌓기나무로 만든 모양을 위치와 방향을 이용하여 설명하는 것
- 도형을 여러 가지 기준과 특징에 따라 분류하고 왜 그렇게 분류했는지 설명하는 것
- 도형을 위·앞·옆에서 바라보고 그 모습을 그림으로 표현하는 것 등이 모두 '도형표현'입니다.

'교과도형'은 도형과 관련한 작은 그림에서부터 서술형 문장제까지 도형을 표현하는 다양한 방법을 효과적으로 학습합니다.

도형측정

측정은 도형과 아주 밀접한 관계가 있으므로 도형을 학습하면서 반드시 함께 다루어야 하는 영역입니다.

길이, 각도, 둘레, 넓이, 부피 등 흔히 '도형' 영역이라 생각하는 것이 사실 초등 교육과정에서는 '측정' 영역에 해당합니다. 사각형을 학습하는 것은 도형이지만 사각형의 둘레와 넓이를 구하는 것은 측정입니다. 각의 종류를 학습하는 것은 도형이지만 각도를 재는 것은 측정입니다. 이처럼 길이, 각도, 둘레, 넓이, 부피 등은 결국 도형을 측정하는 것입니다.
'교과도형'은 교과서의 모든 '도형' 영역을 다루었습니다. 여기에 도형과 반드시 연계하여 학습해야 하는 '측정' 영역을 추가로 다루어 더욱 완성된 도형 학습을 할 수 있도록 도와줍니다.

하루 한 장 60일 집중 완성 교과도형은

7세부터 6학년까지 총 7단계 21권(단계별 3권)으로 구성되어 있으며 각 권은 매일 한 장씩 4주간 체계적으로 학습할 수 있습니다.

1권, 20일

2권, 20일

3권, 20일

대 상	단 계	구 성
7세 ~ 1학년	P	P1, P2, P3
1학년	A	A1, A2, A3
2학년	B	B1, B2, B3
3학년	C	C1, C2, C3
4학년	D	D1, D2, D3
5학년	E	E1, E2, E3
6학년	F	F1, F2, F3

교과도형의 각 단계는 1, 2, 3권을 차례대로 학습합니다.

교과도형, 한 권이면 충분합니다

교과도형은 공간감각, 도형표현, 도형측정을 중심으로 교과서에서 다루는 모든 도형을 학습하고,
공간감각 향상을 위한 '도형플러스'와 학습 결과를 확인하는 '형성평가'를 제공합니다.

1 주차별 학습

공간감각

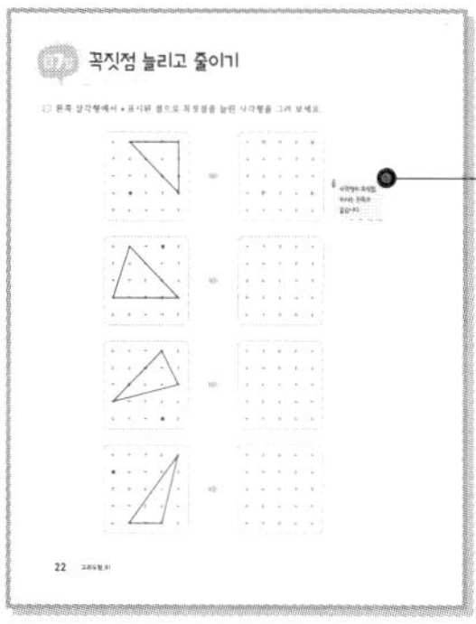

도형 학습의 바탕이 되는 공간감각을 길러줍니다.

도형표현

다양한 그림과 문장제로 도형을 표현하는 방법을 배웁니다.

도형측정

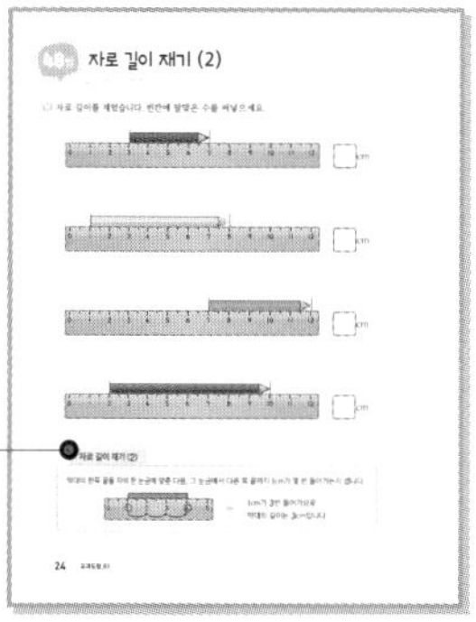

도형 학습에 필수적인 측정을 도형과 연계하여 학습합니다.

[체크 박스]
문제를 해결하는 데 도움이 되는 정보를 제공합니다.

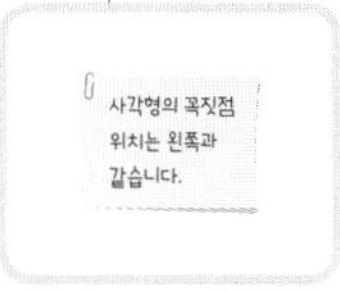
사각형의 꼭짓점 위치는 왼쪽과 같습니다.

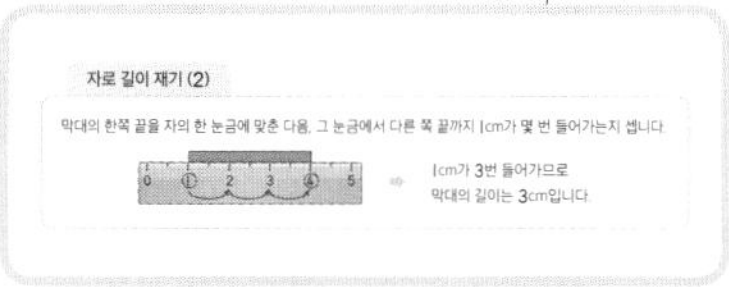
자로 길이 재기 (2)
막대의 한쪽 끝을 자의 한 눈금에 맞춘 다음, 그 눈금에서 다른 쪽 끝까지 1cm가 몇 번 들어가는지 셉니다.
1cm가 3번 들어가므로 막대의 길이는 3cm입니다.

[개념 포인트]
학습할 때 꼭 필요한 기본 개념을 설명합니다.

2 도형플러스

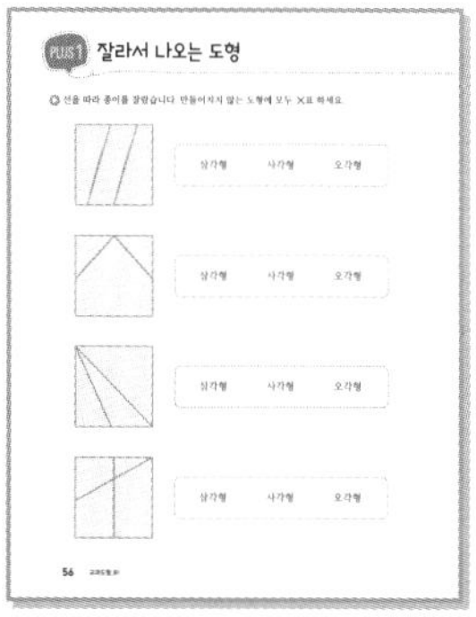

각 권의 학습 주제와 연계하여 공간감각을 더욱 향상시킵니다.

3 형성평가

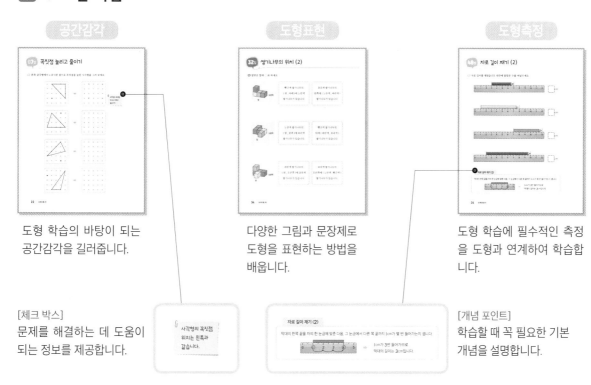

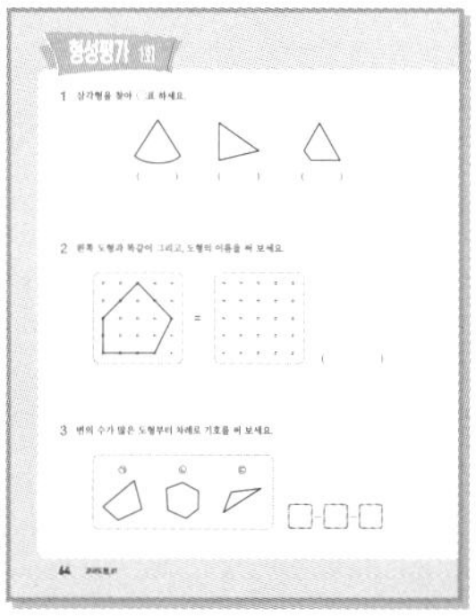

학습한 내용을 다시 한 번 복습하고 정리합니다.

이 책의
차례

1주차
01~05일

원, 삼각형, 사각형

01일 원

원을 찾아 ◯표 하세요.

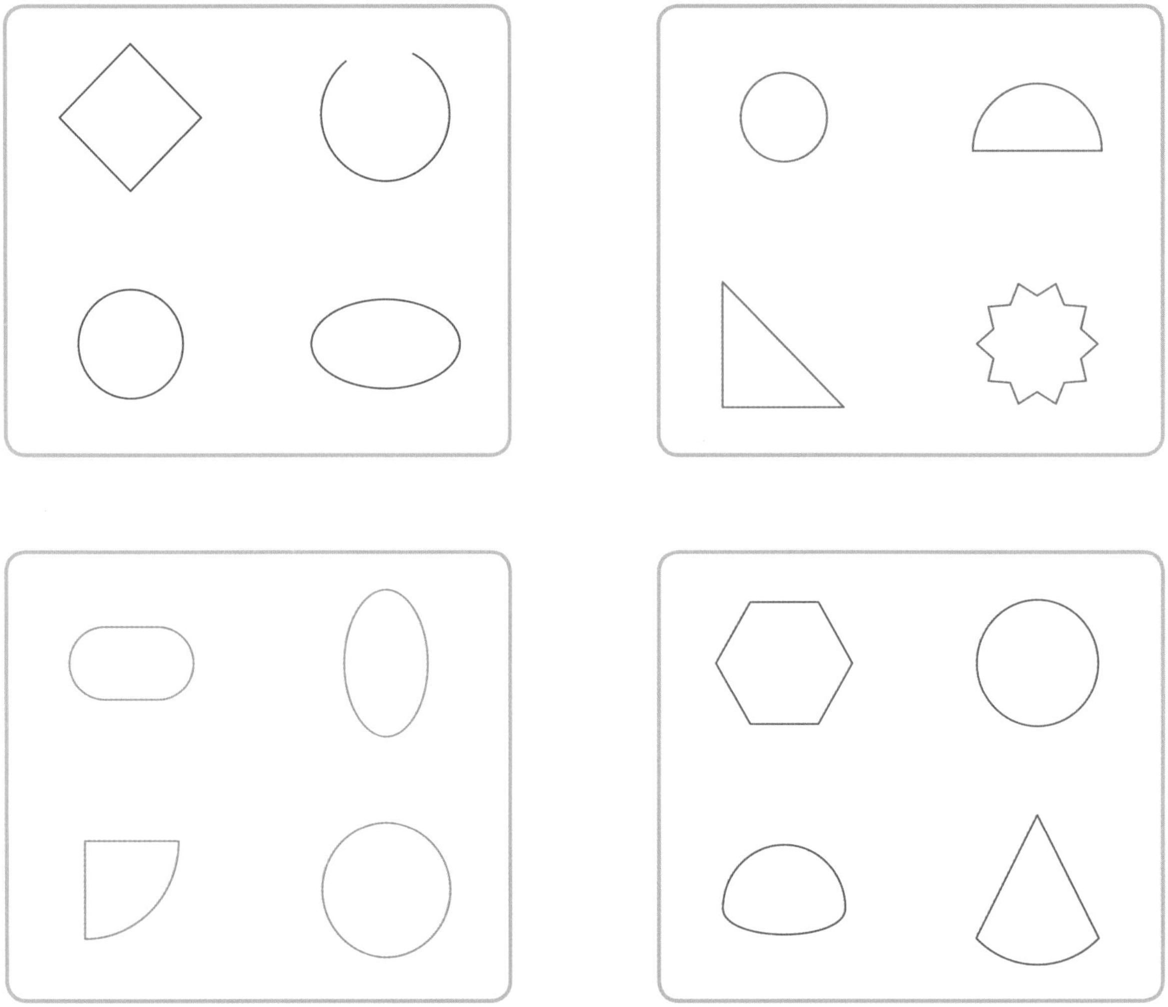

원

동그란 모양의 도형을 원이라고 합니다.

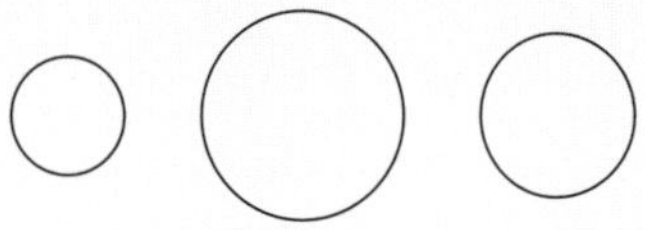

원은 길쭉하거나 찌그러진 곳이 없습니다.
곧은 선이 없고, **굽은 선**으로 이어져 있습니다.
뾰족한 부분이 없습니다.
크기는 다르지만 생긴 모양은 같습니다.

원의 개수를 세어 보세요.

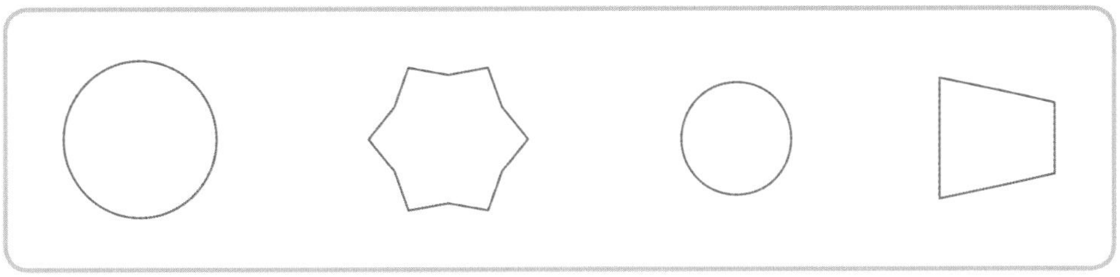

개

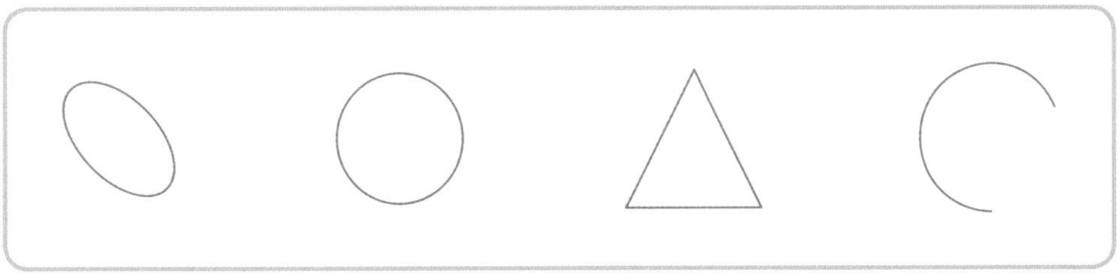

개

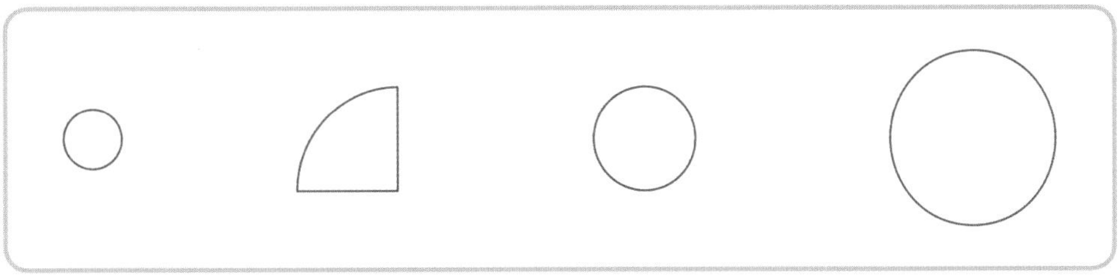

개

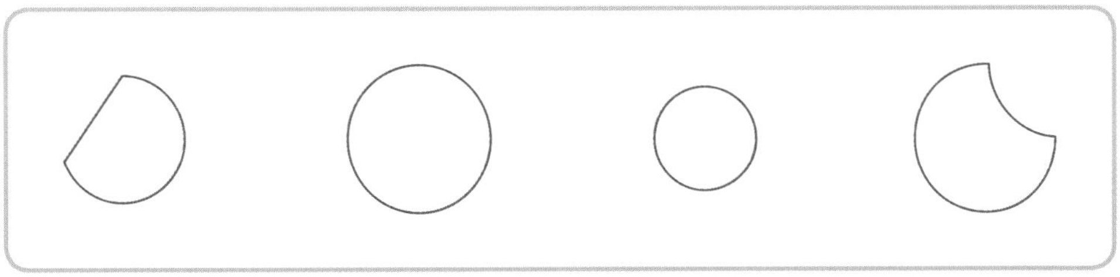

개

02일 삼각형

1 삼각형을 찾아 ○표 하세요.

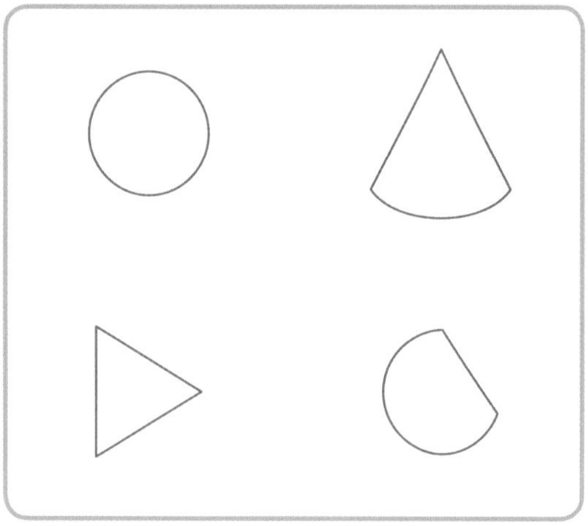

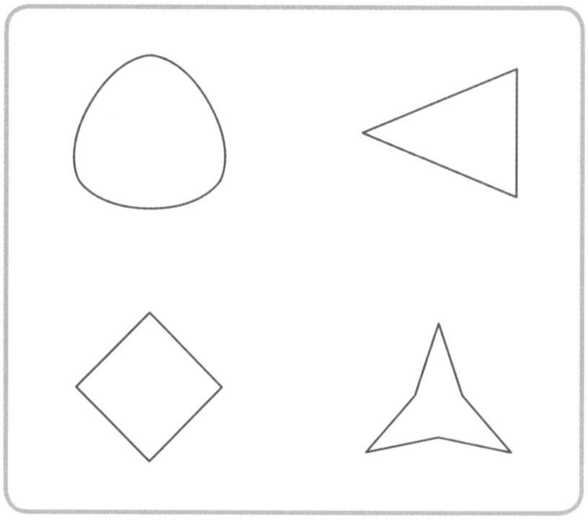

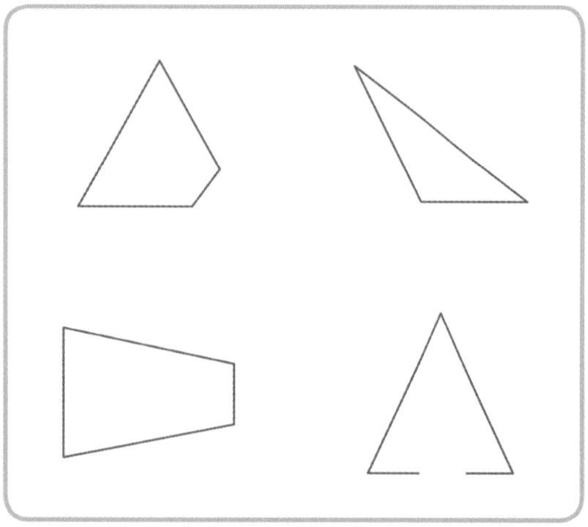

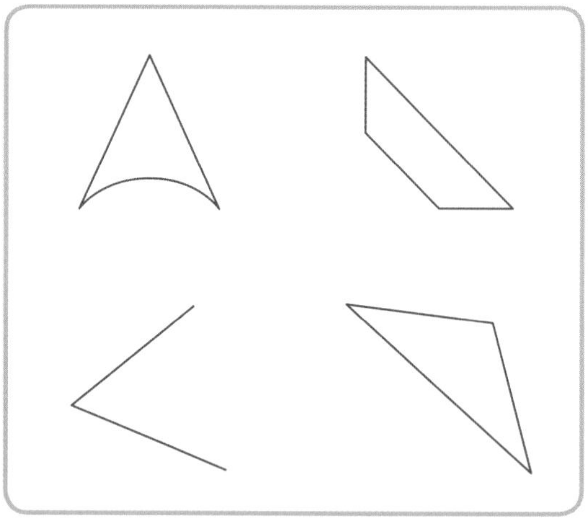

삼각형

곧은 선 3개로 둘러싸인 도형을 삼각형이라고 합니다.

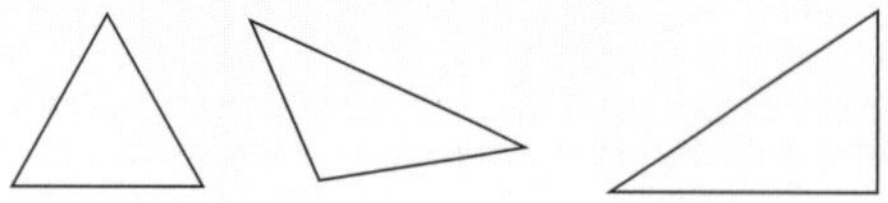

삼각형은 **곧은 선**으로 둘러싸여 있고,
끊어진 부분이나 굽은 선이 없습니다.

11 점을 이어 삼각형을 그려 보세요.

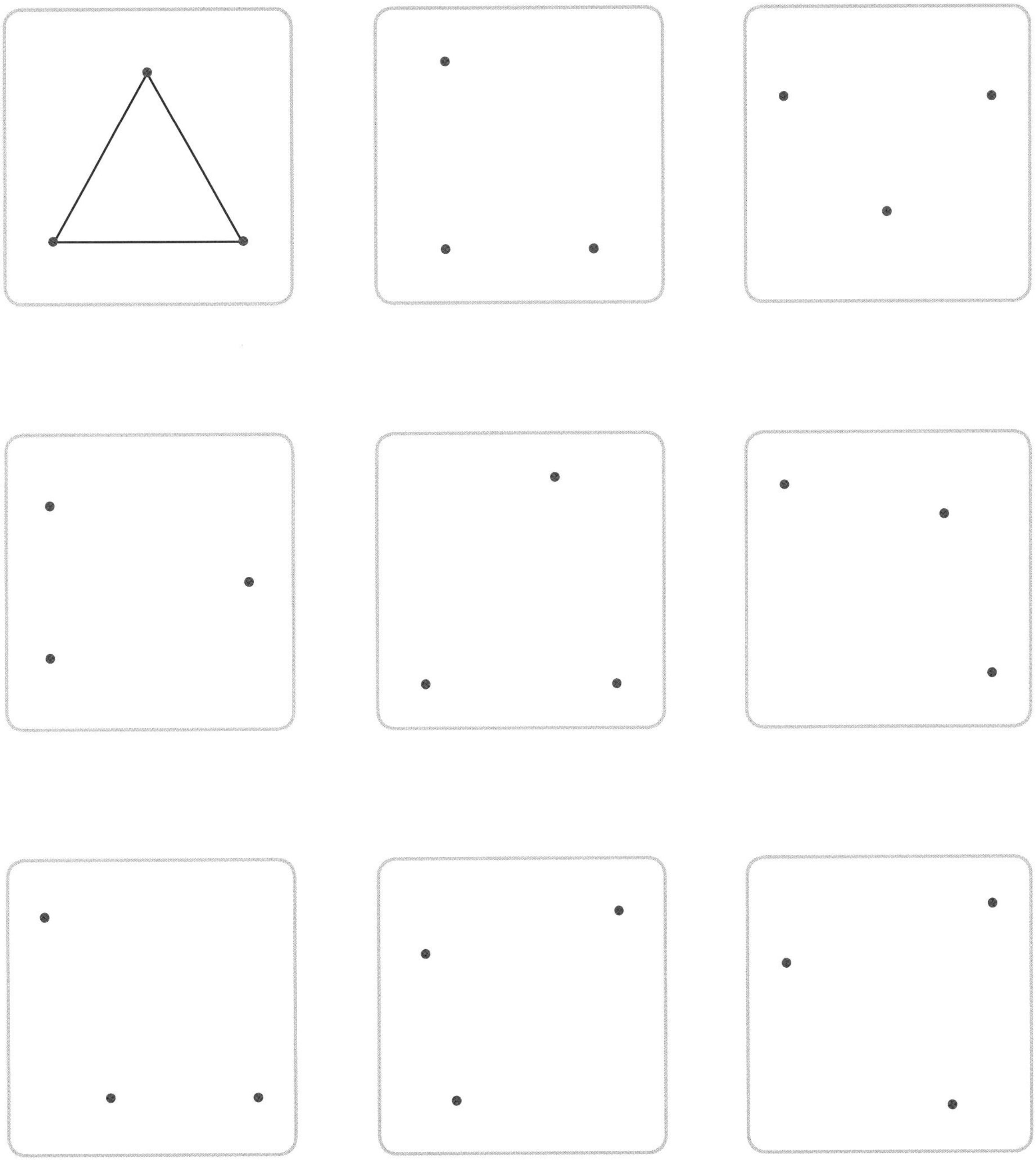

03일 사각형

사각형을 찾아 ◯표 하세요.

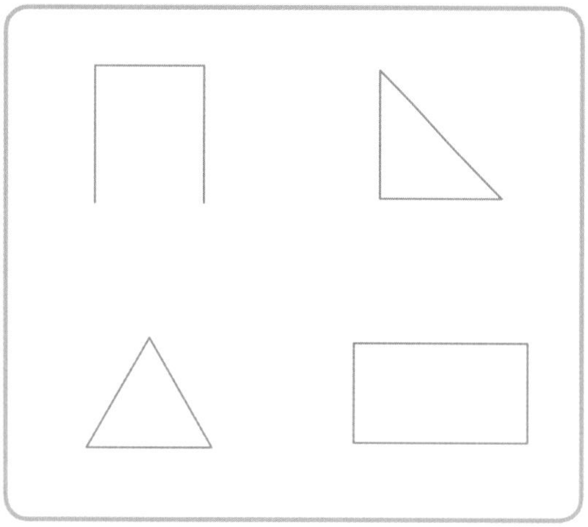

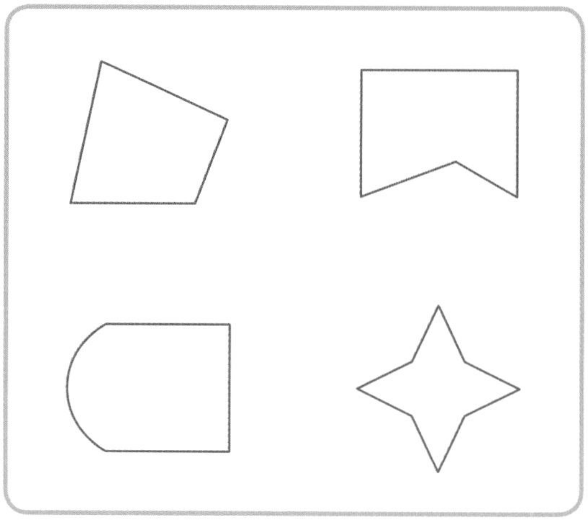

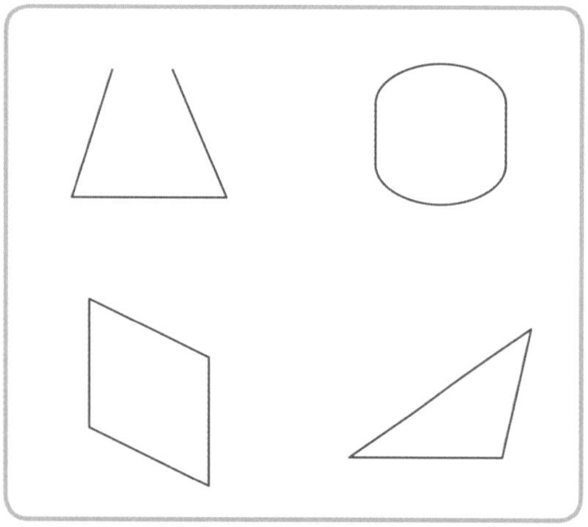

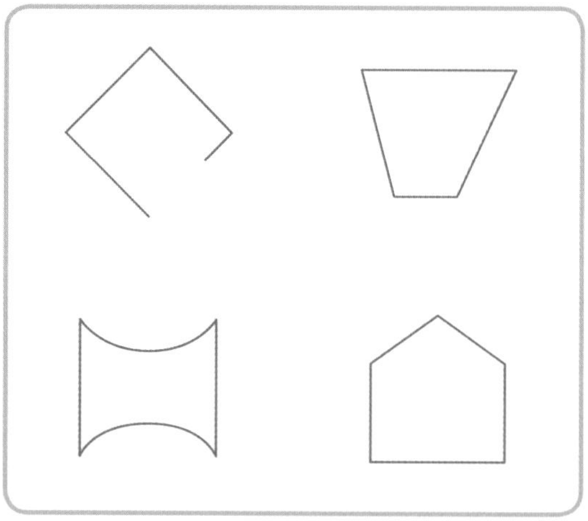

사각형

곧은 선 **4**개로 둘러싸인 도형을 사각형이라고 합니다.

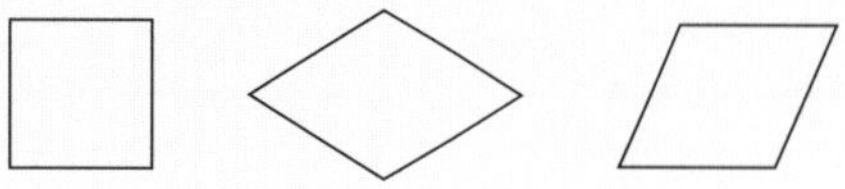

사각형은 **곧은 선**으로 둘러싸여 있고,
끊어진 부분이나 굽은 선이 없습니다.

점을 이어 사각형을 그려 보세요.

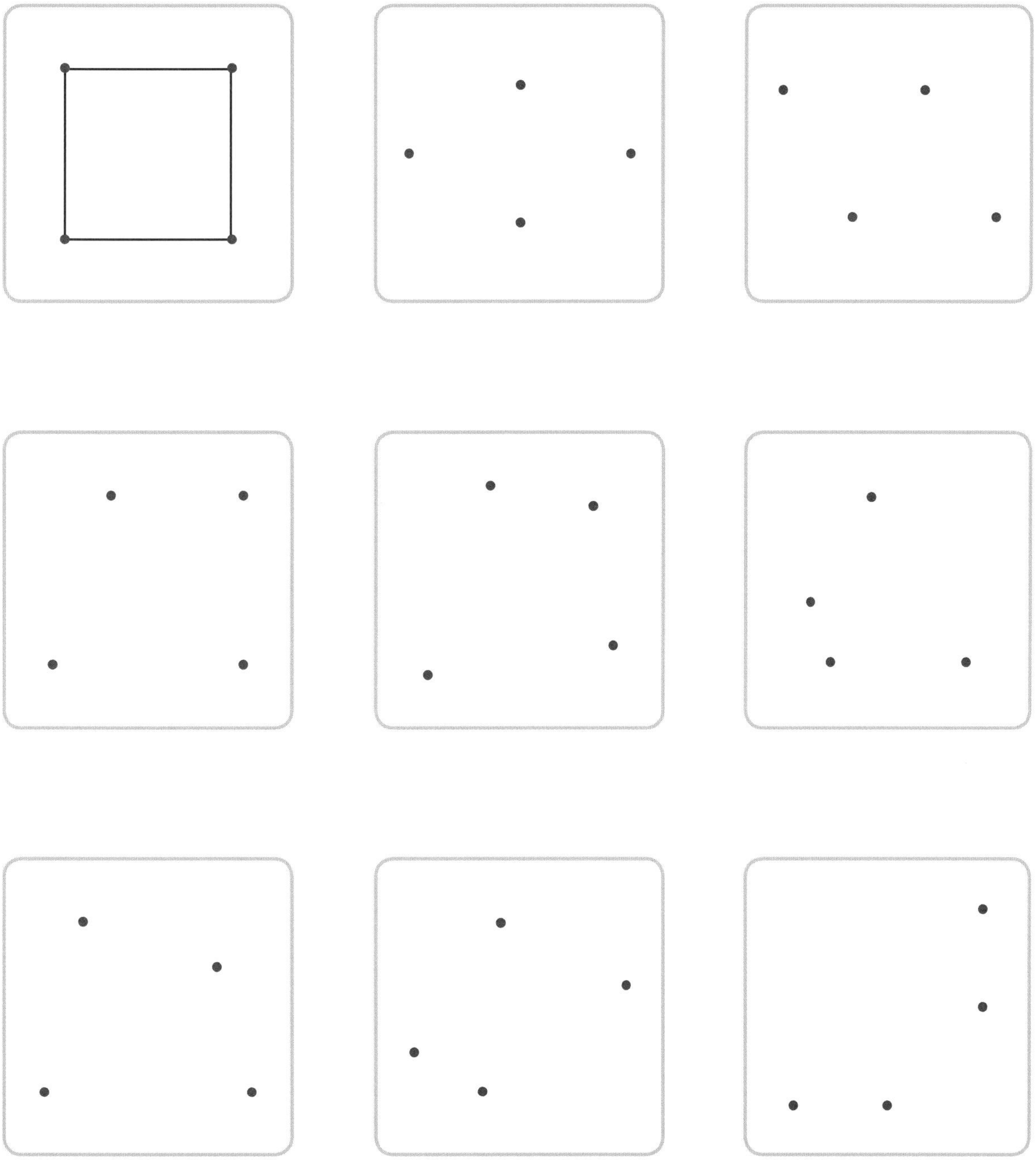

04일 변과 꼭짓점

1 변에 모두 ◯표 하고, 도형의 이름을 써 보세요.

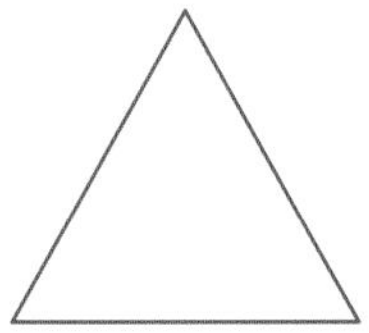

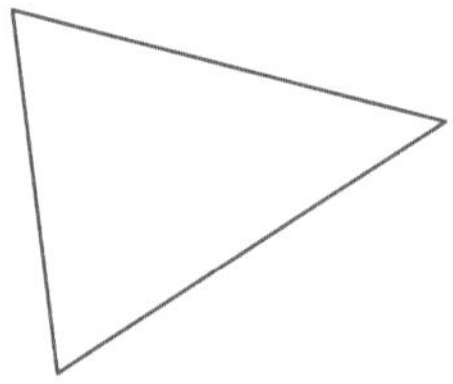

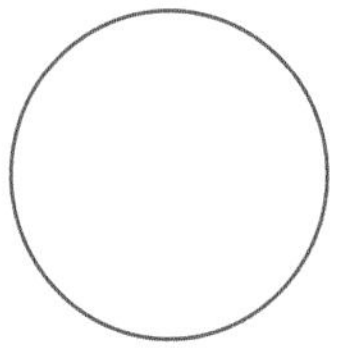
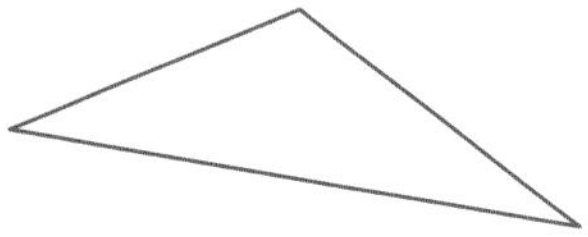
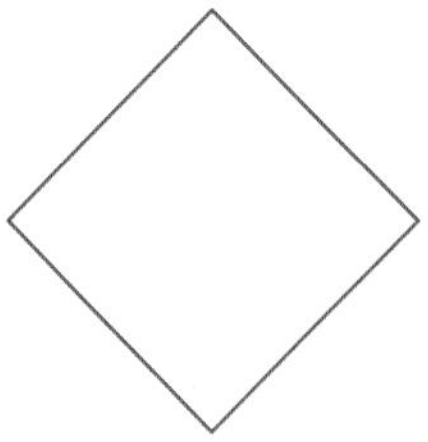

원은 변과 꼭짓점이 없습니다.

변과 꼭짓점

삼각형과 사각형에서 곧은 선을 변이라 하고, 두 곧은 선이 만나는 점을 꼭짓점이라고 합니다.

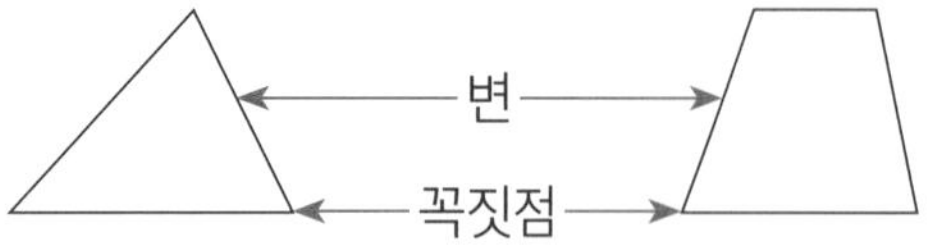

삼각형은 변이 3개, 꼭짓점이 3개입니다.
사각형은 변이 4개, 꼭짓점이 4개입니다.

꼭짓점에 모두 ◯표 하고, 도형의 이름에 ◯표 하세요.

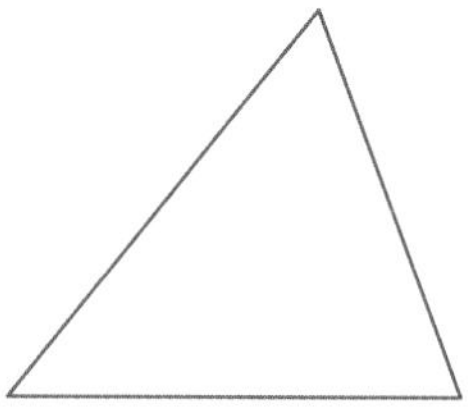

(원 , 삼각형 , 사각형)

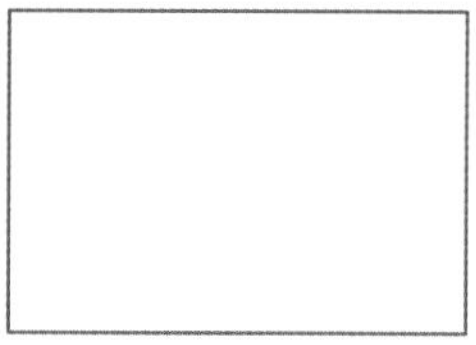

(원 , 삼각형 , 사각형)

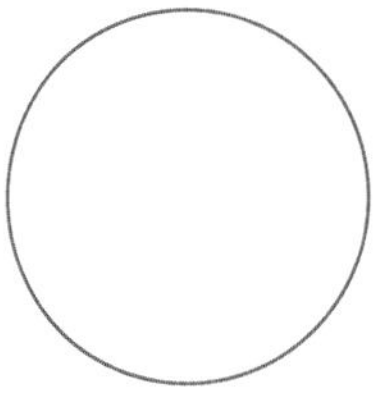

(원 , 삼각형 , 사각형)

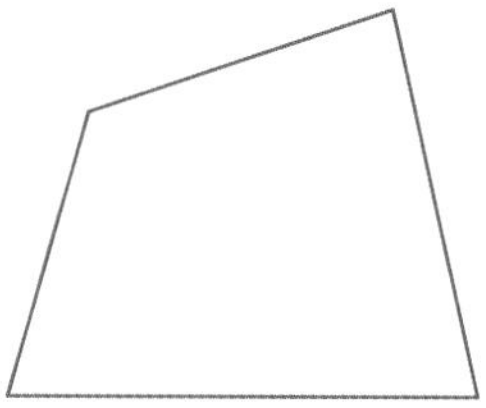

(원 , 삼각형 , 사각형)

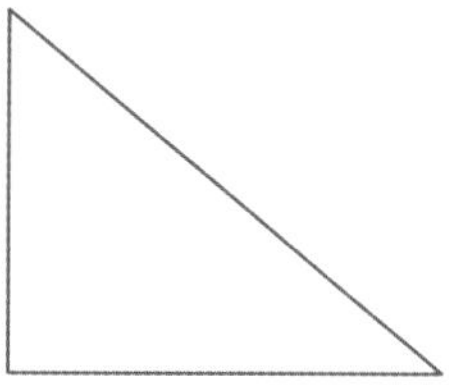

(원 , 삼각형 , 사각형)

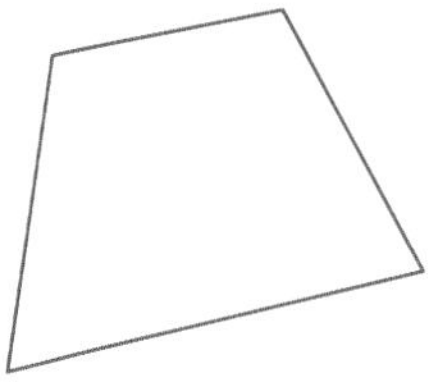

(원 , 삼각형 , 사각형)

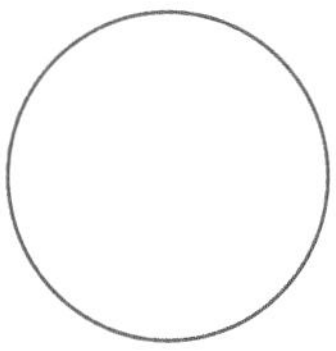

(원 , 삼각형 , 사각형)

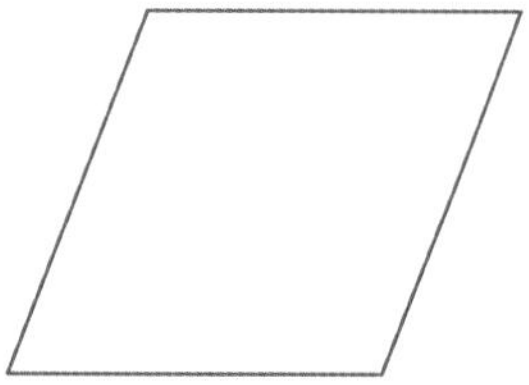

(원 , 삼각형 , 사각형)

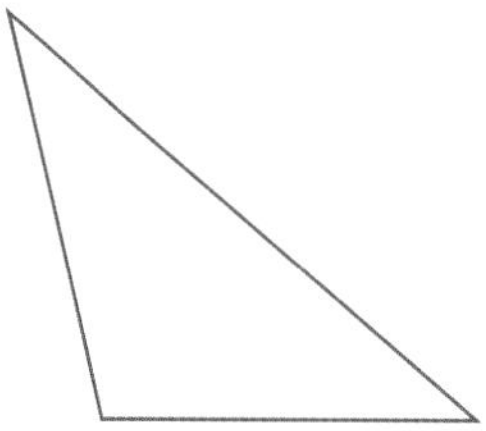

(원 , 삼각형 , 사각형)

05일 도형의 특징

알맞은 말에 ○표 하고, 빈칸에 알맞은 수를 써넣으세요.

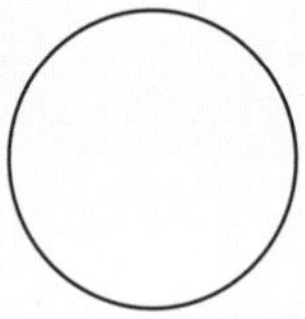

원은 (곧은 선 , 굽은 선)으로 이어져 있습니다.

원은 뾰족한 부분이 (있습니다 , 없습니다).

원은 끊어진 부분이 (있습니다 , 없습니다).

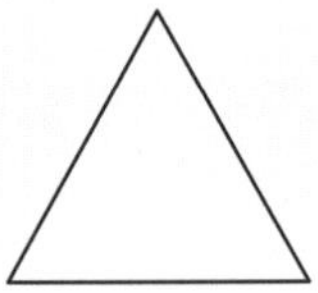

삼각형은 (곧은 선 , 굽은 선)으로 둘러싸여 있습니다.

삼각형은 꼭짓점이 □개입니다.

삼각형은 변이 □개입니다.

사각형은 뾰족한 부분이 (있습니다 , 없습니다).

사각형은 꼭짓점이 □개입니다.

사각형은 변이 □개입니다.

옳은 말에는 ◯표, 틀린 말에는 ╳표 하세요.

원은 어느쪽에서 보아도 똑같은 동그란 모양입니다. ( )

굽은 선이 있는 사각형도 있습니다. ( )

굽은 선으로 이어져 있는 길쭉한 원도 있습니다. ( )

사각형은 삼각형보다 꼭짓점이 1개 더 많습니다. ( )

삼각형은 꼭짓점의 수와 변의 수가 다릅니다. ( )

사각형의 꼭짓점과 변의 수를 더하면 8입니다. ( )

주어진 도형은 원, 삼각형, 사각형이 아닙니다. 아닌 이유를 찾아 이어 보세요.

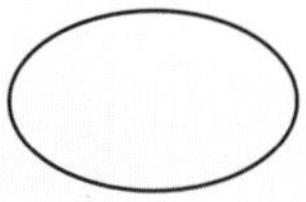	원이 아닌 이유 •	• 변과 꼭짓점이 4개보다 많기 때문입니다.
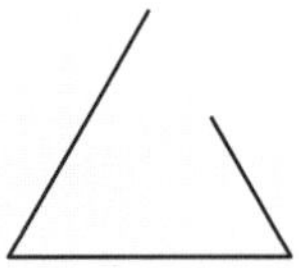	삼각형이 아닌 이유 •	• 굽은 선이 있기 때문입니다.
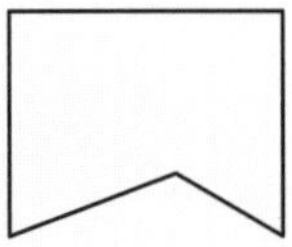	사각형이 아닌 이유 •	• 모양이 길쭉하기 때문입니다.
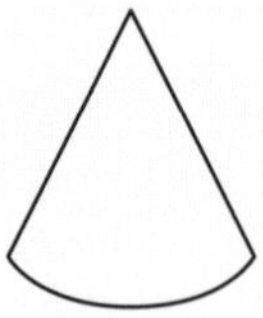	삼각형이 아닌 이유 •	• 끊어진 부분이 있기 때문입니다.

2주차
06~10일

도형 그리기와 개수

06일 똑같이 그리기

왼쪽과 똑같은 모양의 삼각형을 그려 보세요.

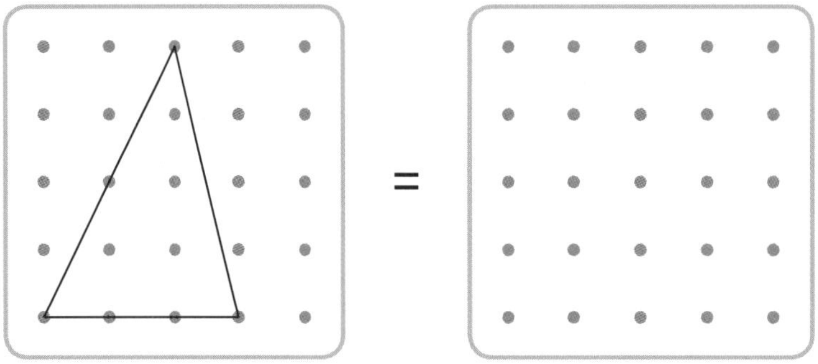

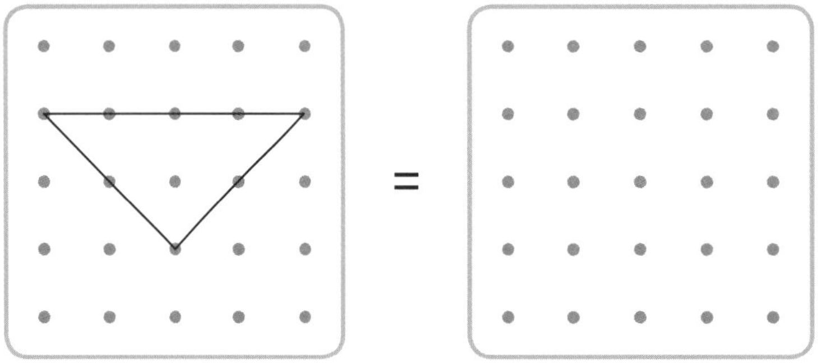

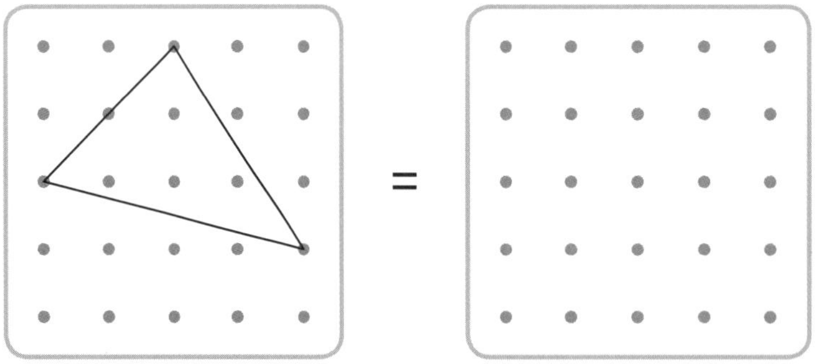

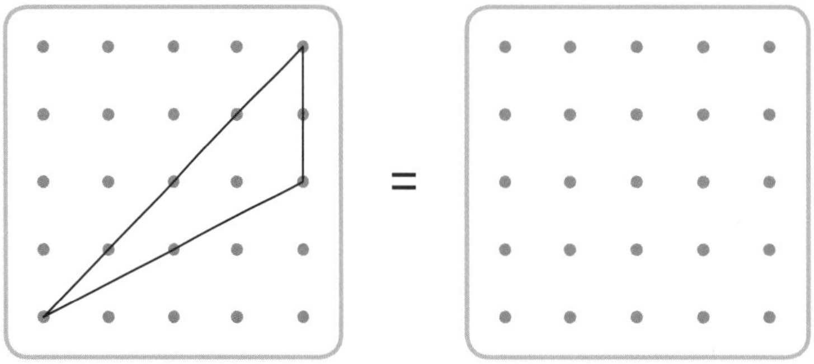

왼쪽과 똑같은 모양의 사각형을 그려 보세요.

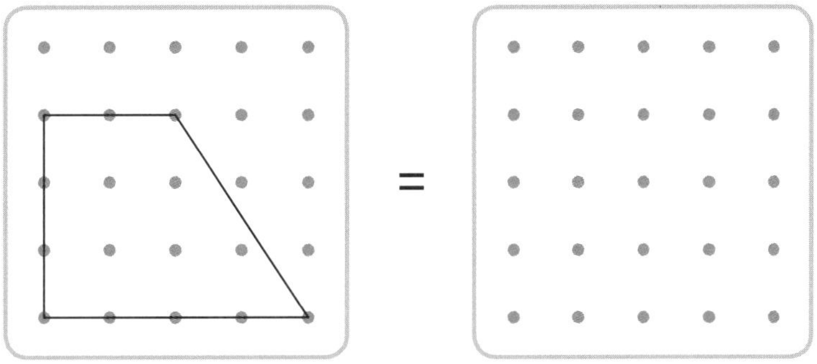

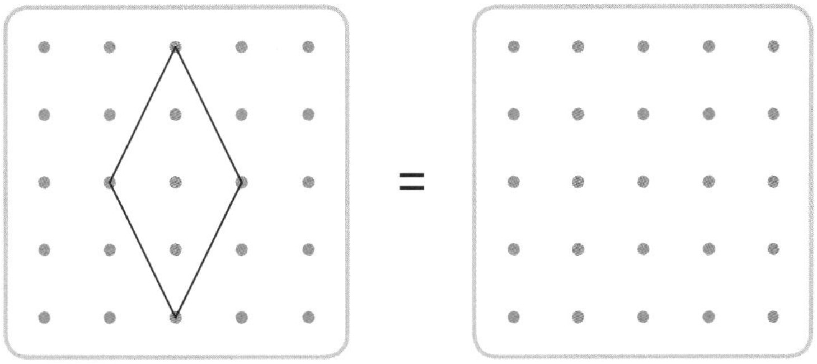

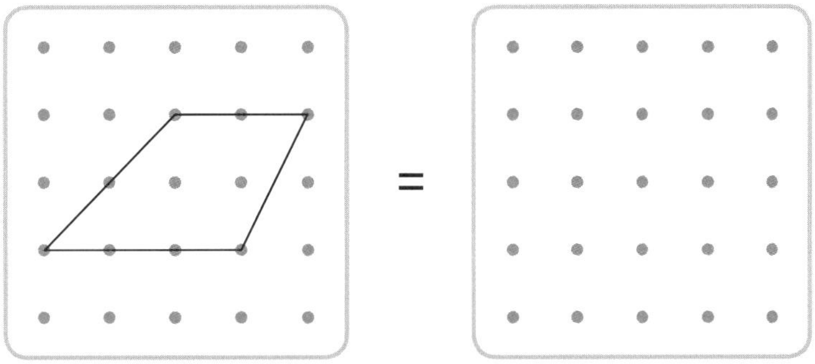

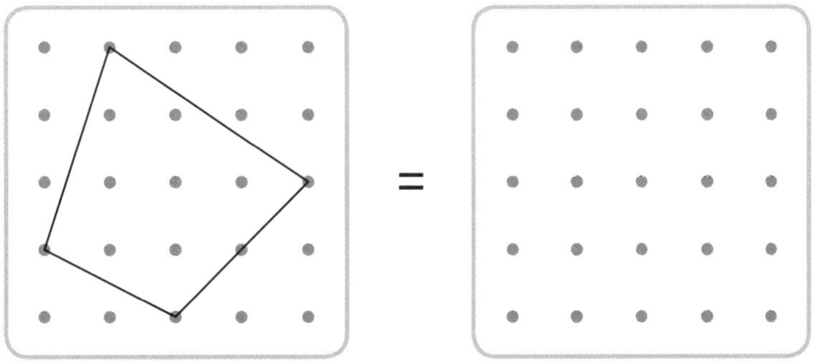

07일 꼭짓점 늘리고 줄이기

1 왼쪽 삼각형에서 • 표시된 점으로 꼭짓점을 늘린 사각형을 그려 보세요.

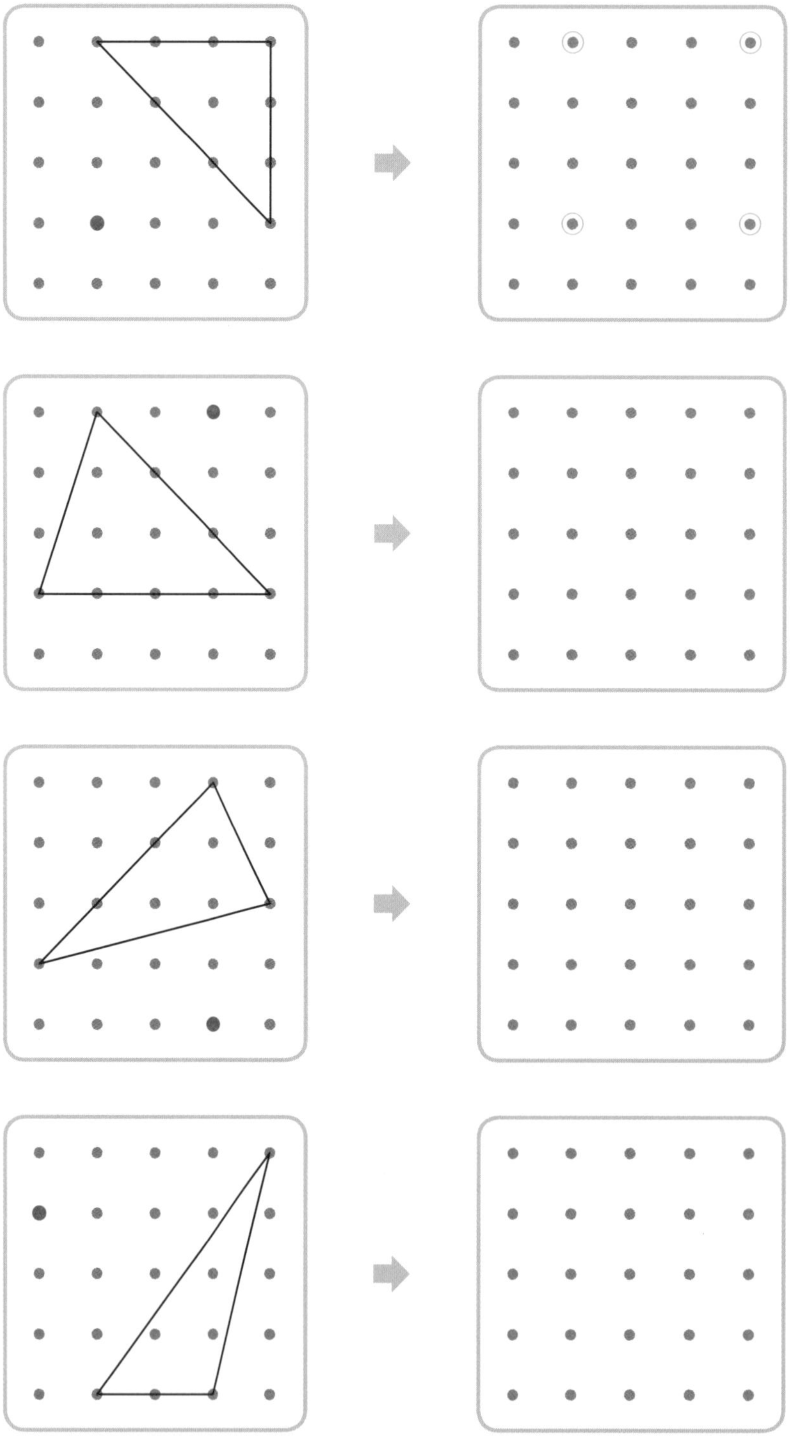

사각형의 꼭짓점 위치는 왼쪽과 같습니다.

월 일

왼쪽 사각형에서 ● 표시된 꼭짓점을 줄인 삼각형을 그려 보세요.

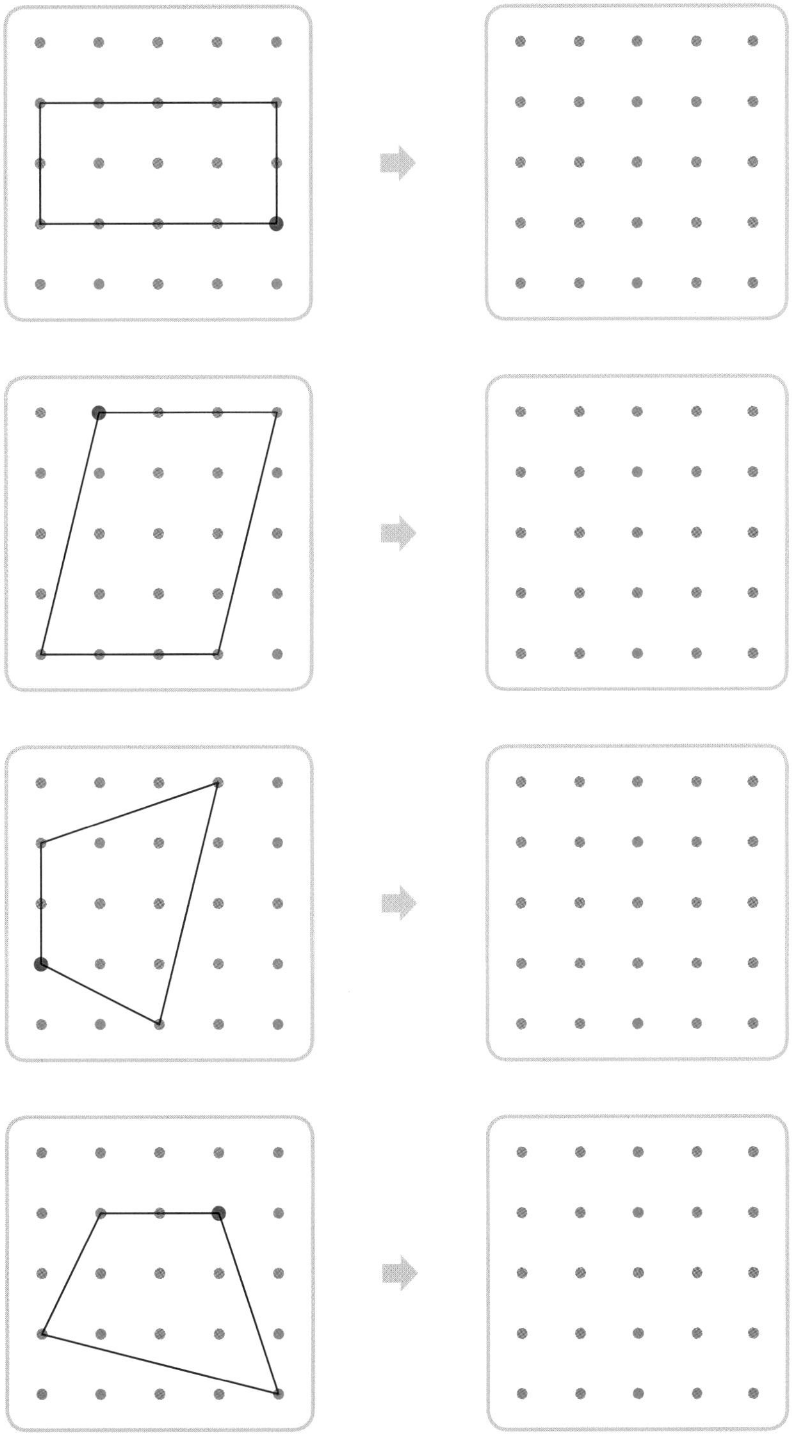

08일 조건에 맞게 그리기

점을 이어 주어진 곧은 선을 변으로 하는 여러 가지 삼각형과 사각형을 그려 보세요.

삼각형

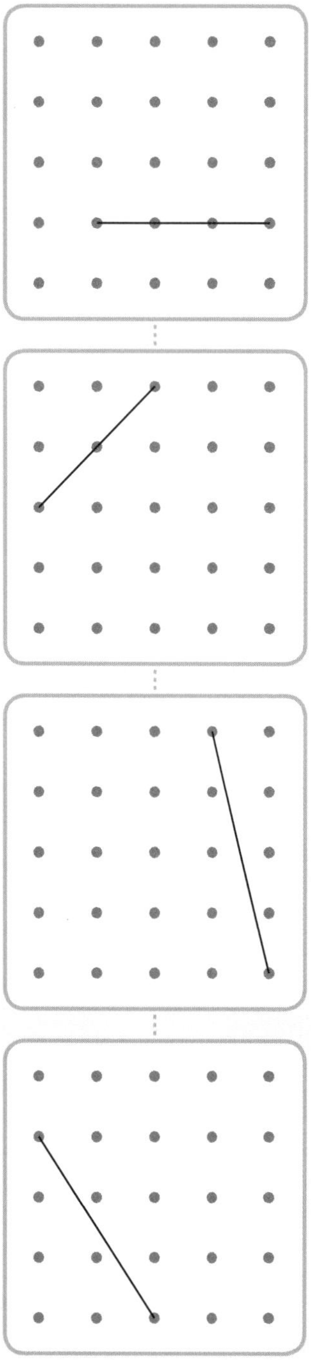

사각형

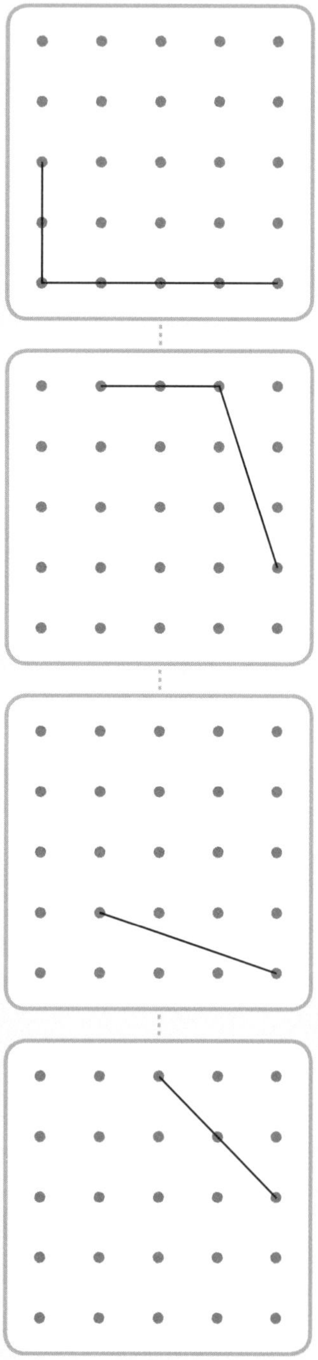

점을 이어 조건에 맞는 여러 가지 삼각형과 사각형을 그려 보세요.

도형의 안쪽에 점이 2개 있는 삼각형

도형의 안쪽에 점이 3개 있는 삼각형

도형의 안쪽에 점이 4개 있는 삼각형

도형의 안쪽에 점이 1개 있는 삼각형

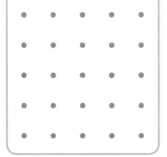

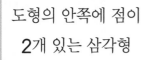

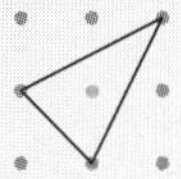

도형의 안쪽에 점이 2개 있는 사각형

도형의 안쪽에 점이 3개 있는 사각형

도형의 안쪽에 점이 4개 있는 사각형

09일 자른 도형의 개수

색종이를 점선을 따라 자를 때 나오는 도형의 이름과 개수를 써 보세요.

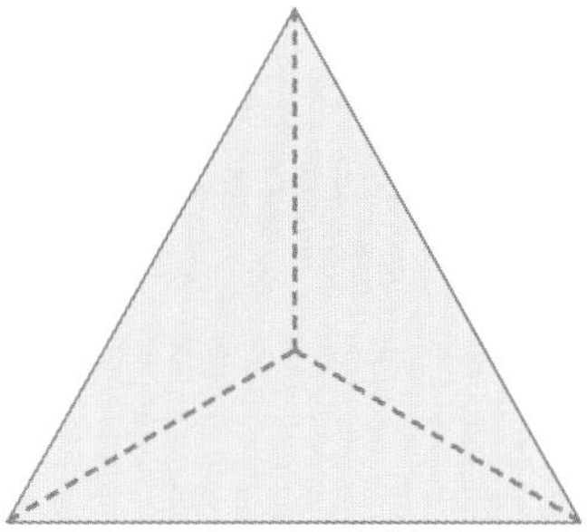

→ 개

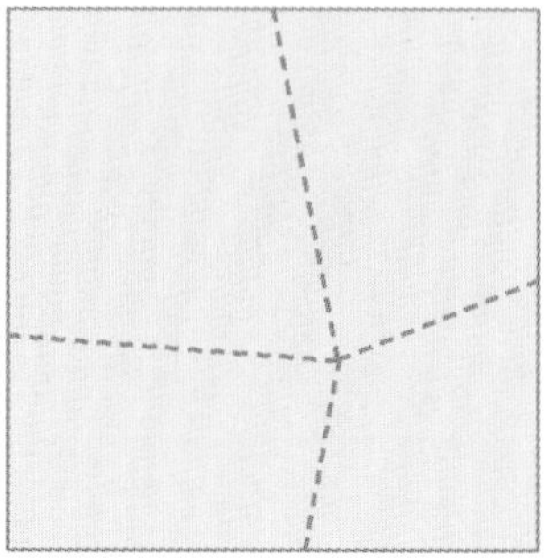

→ 개

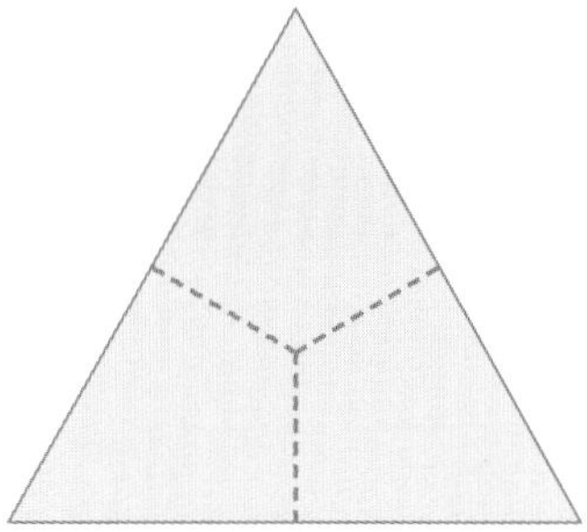

→ 개

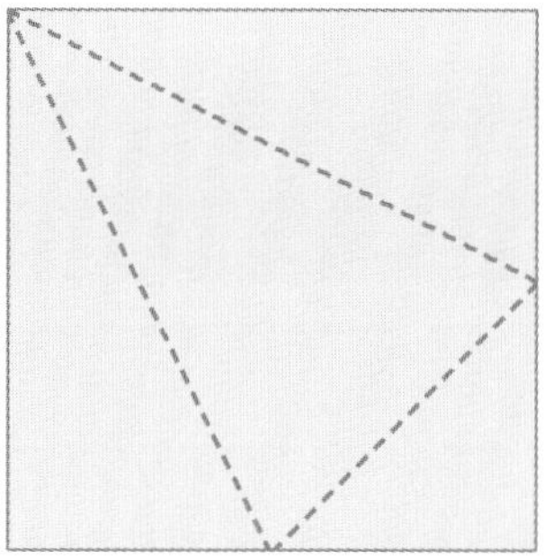

→ 개

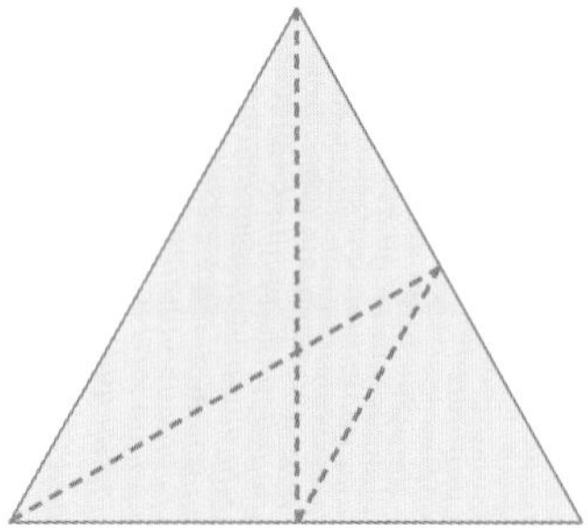

→ 개

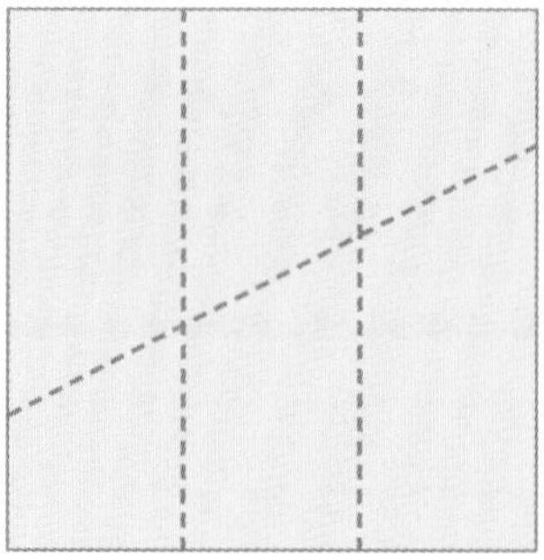

→ 개

색종이를 점선을 따라 자를 때 나오는 도형의 이름과 개수를 모두 써 보세요.

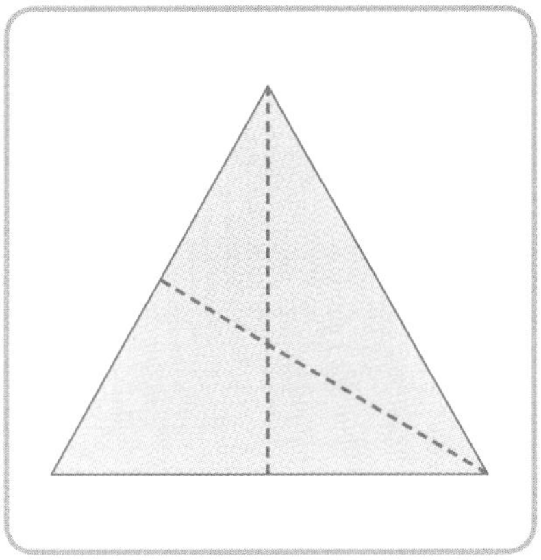

→ 개

→ 개

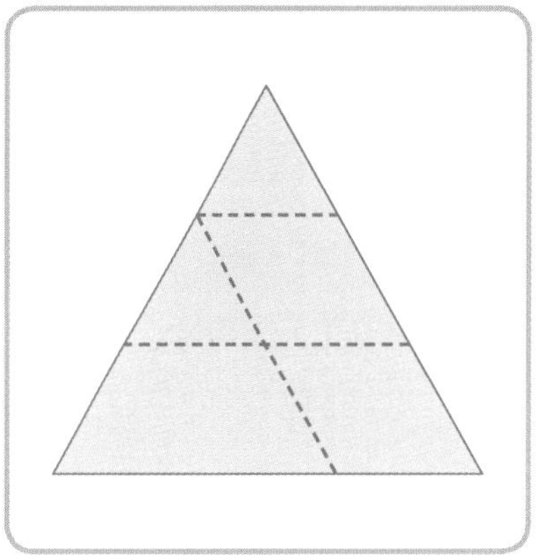

→ 개

→ 개

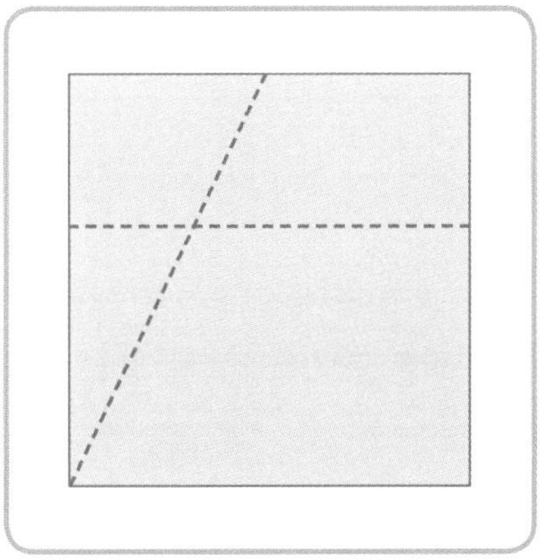

→ 개

→ 개

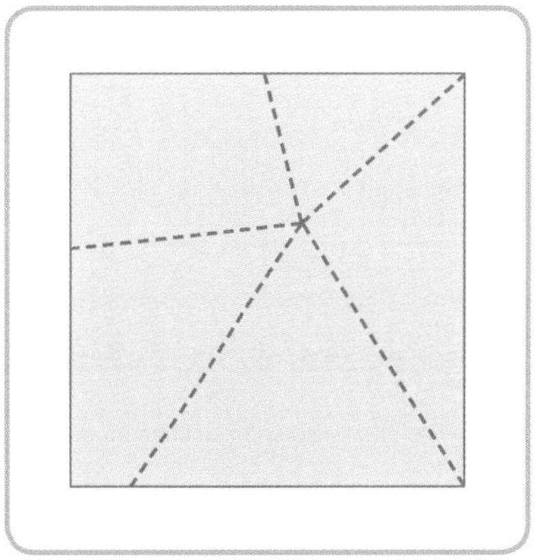

→ 개

→ 개

10일 크고 작은 도형의 개수

크고 작은 삼각형의 개수를 구해 보세요.

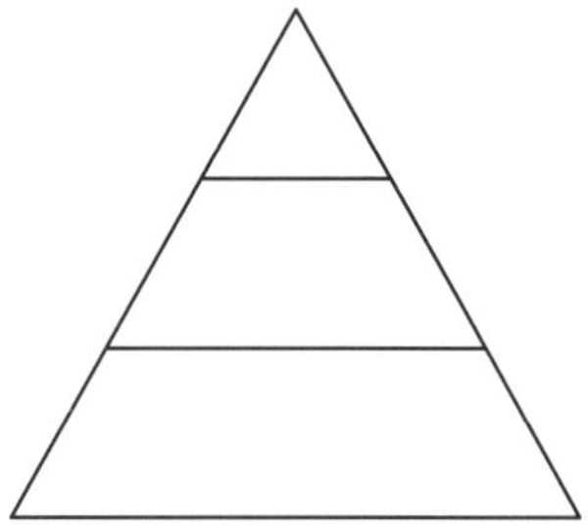

☐개

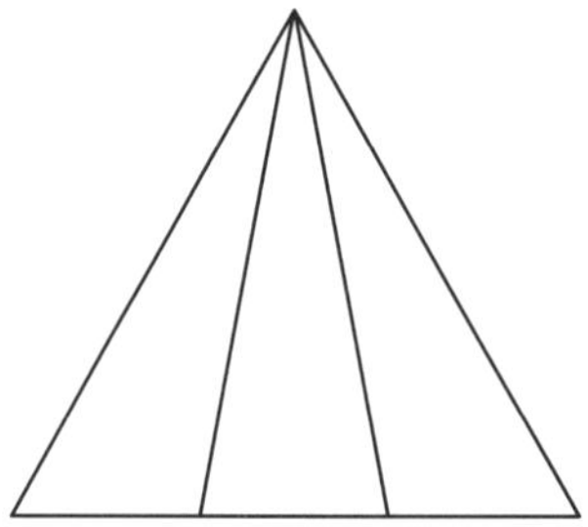

☐개

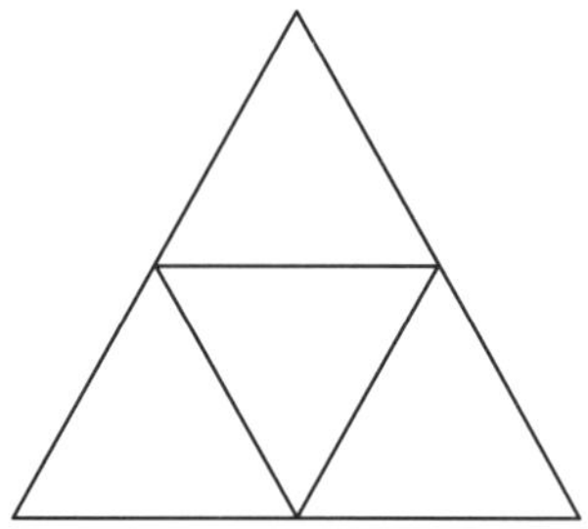

☐개

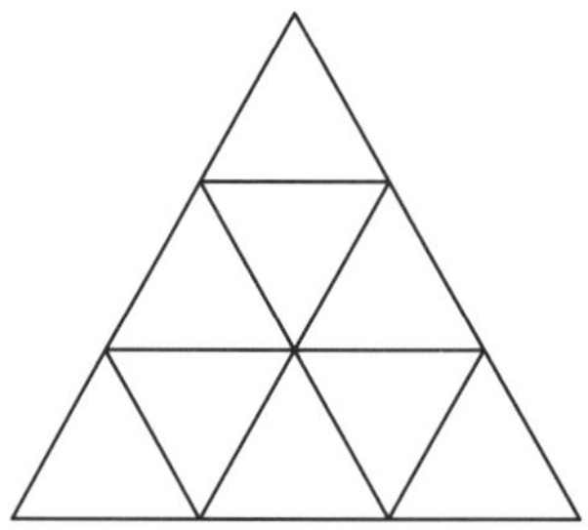

☐개

크고 작은 도형 찾기

선을 따라 그릴 수 있는 크고 작은 도형을 찾을 때는 큰 도형 안에 포함된 작은 도형의 개수에 따라 구분하면서 빠짐 없이 찾습니다.

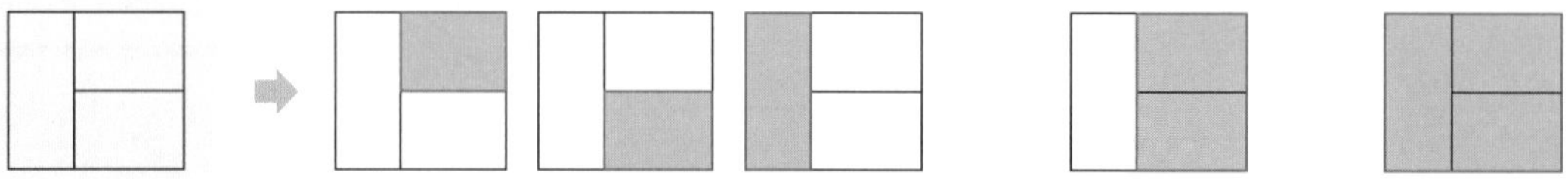

찾을 수 있는 사각형은 모두 $3+1+1=5$(개)입니다.

크고 작은 사각형의 개수를 구해 보세요.

개

개

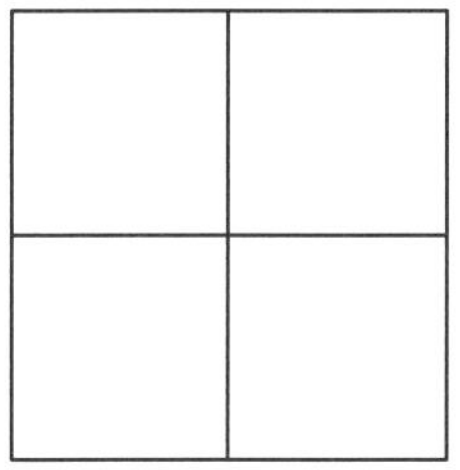

개

개

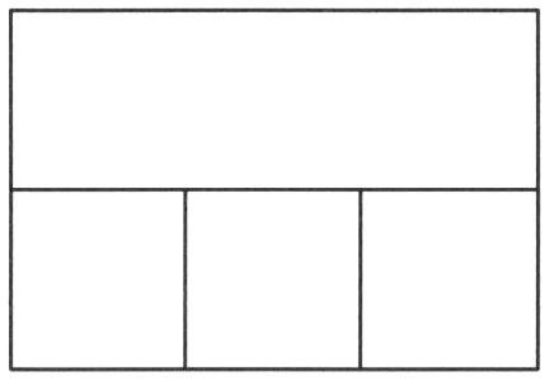

개

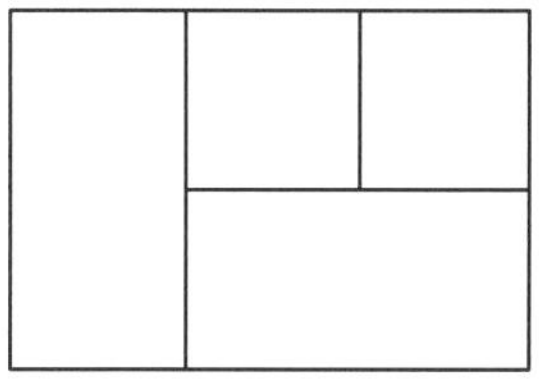

개

크고 작은 사각형의 개수를 구해 보세요.

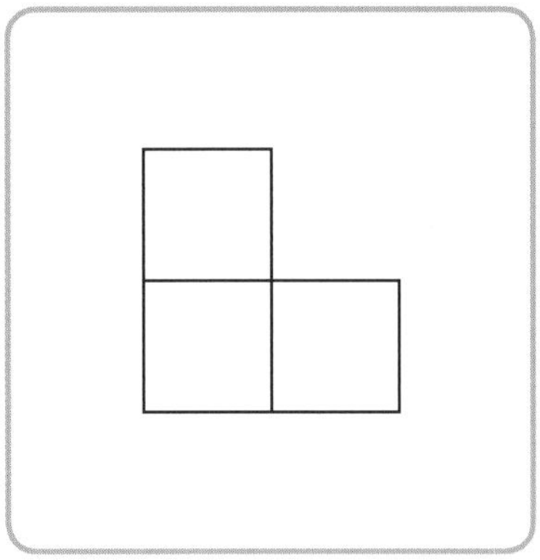

( ) 개

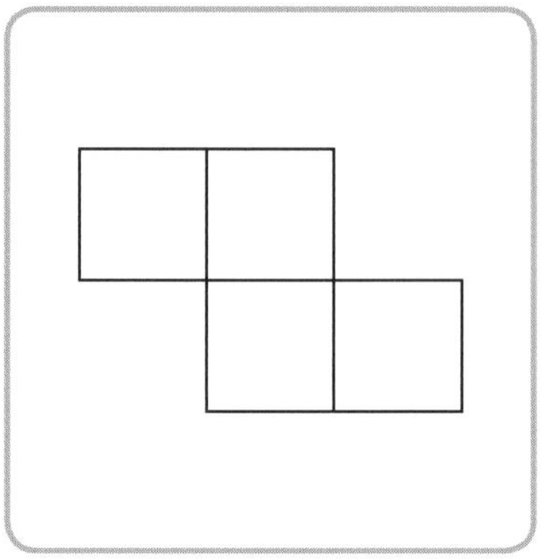

( ) 개

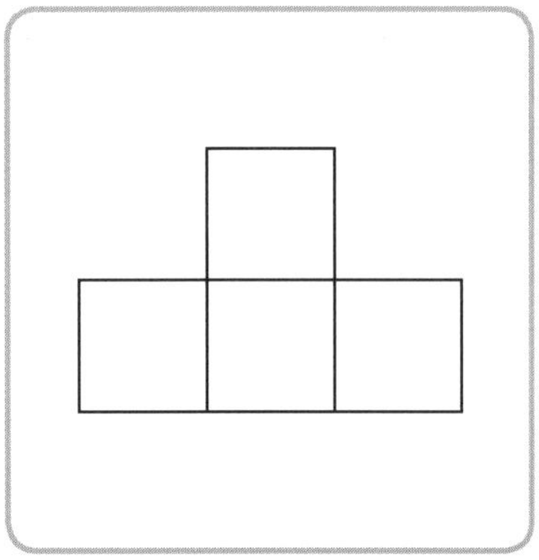

( ) 개

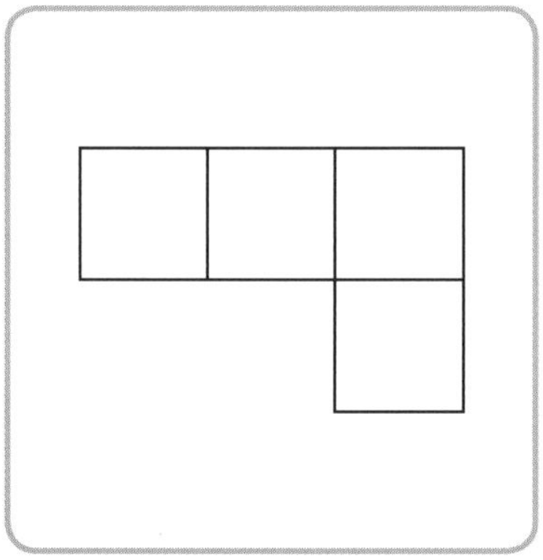

( ) 개

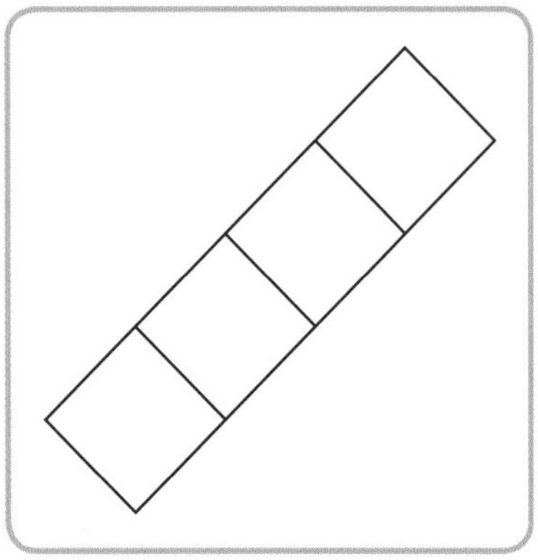

( ) 개

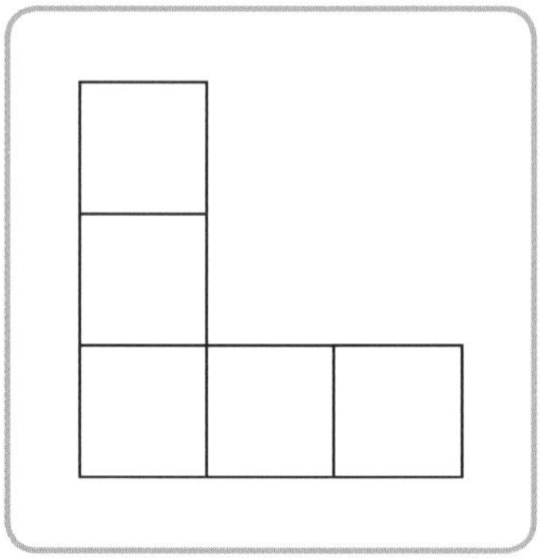

( ) 개

3주차
11~15일

오각형, 육각형

11일 오각형

1 오각형을 찾아 ◯표 하세요.

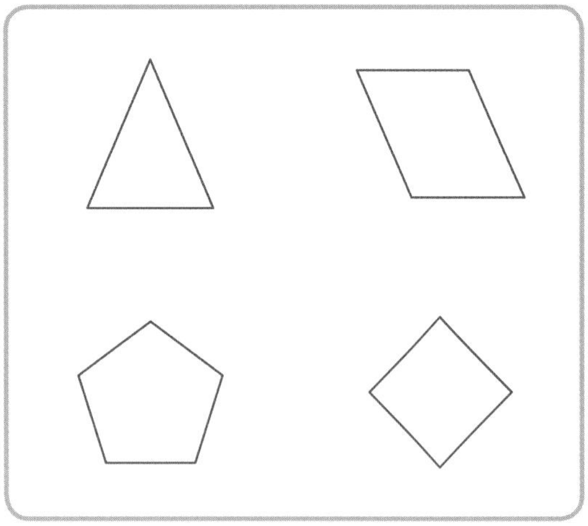

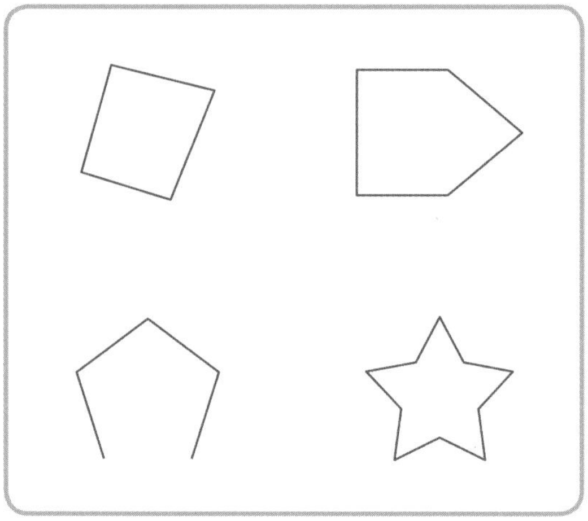

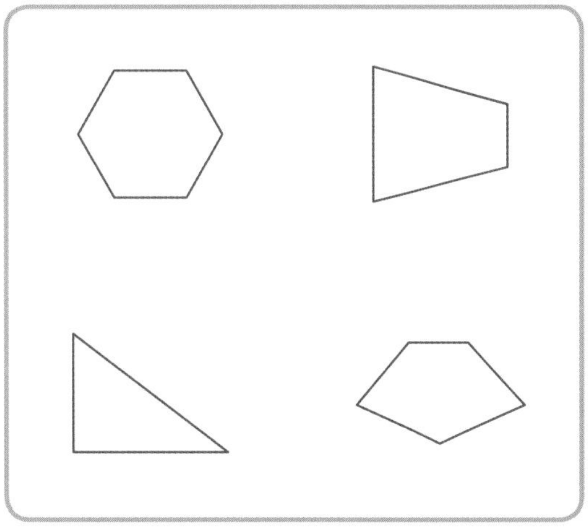

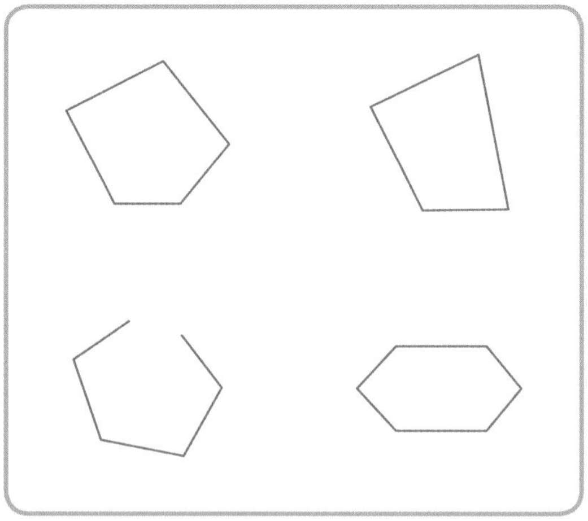

오각형

곧은 선 5개로 둘러싸인 도형을 오각형이라고 합니다.

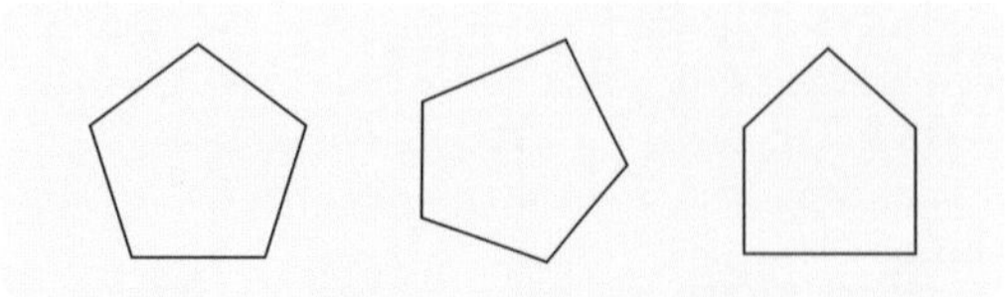

오각형은 변이 5개, 꼭짓점이 5개입니다.

점을 이어 오각형을 그려 보세요.

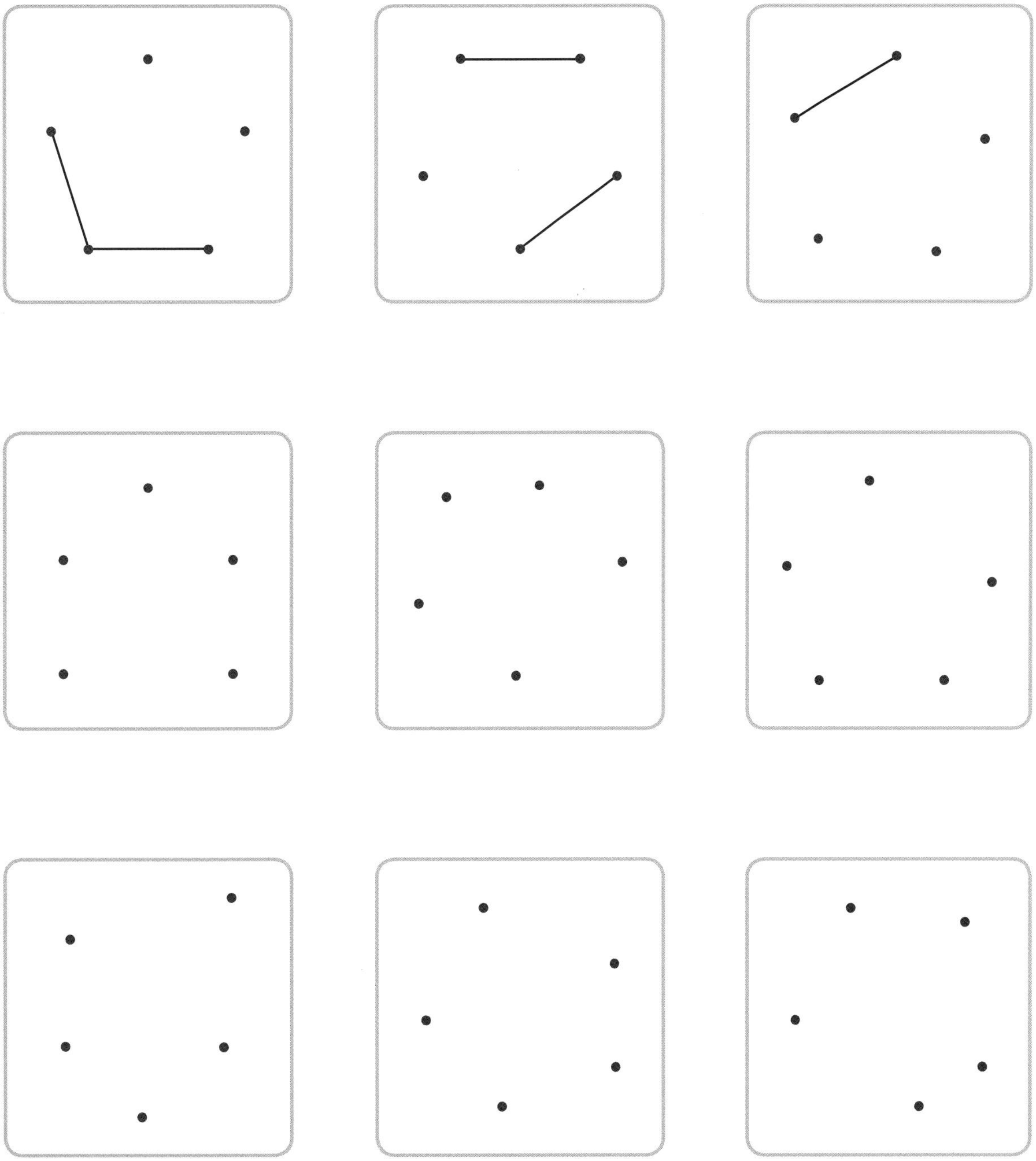

12일 육각형

1 육각형을 찾아 ◯표 하세요.

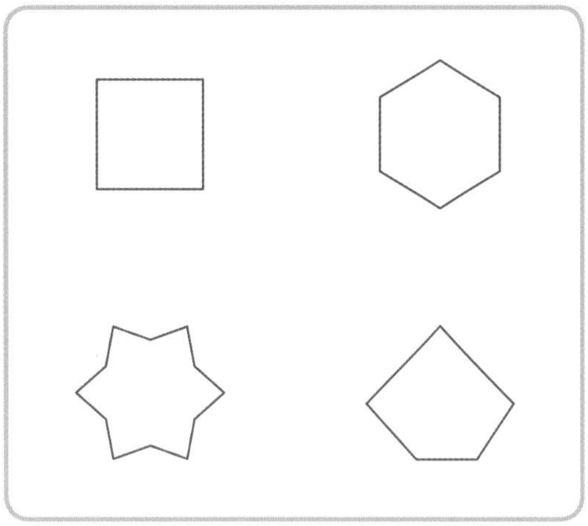

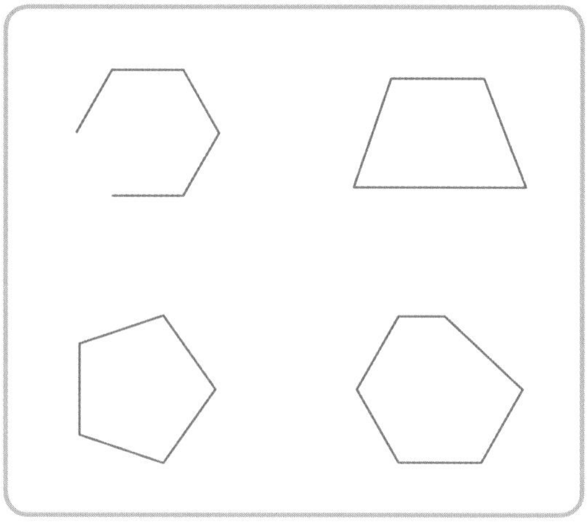

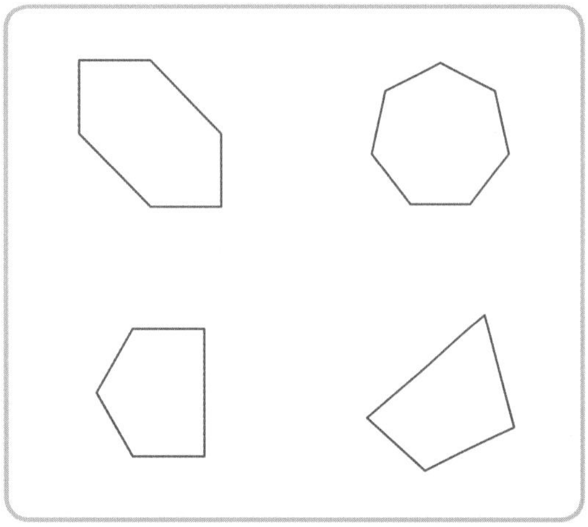

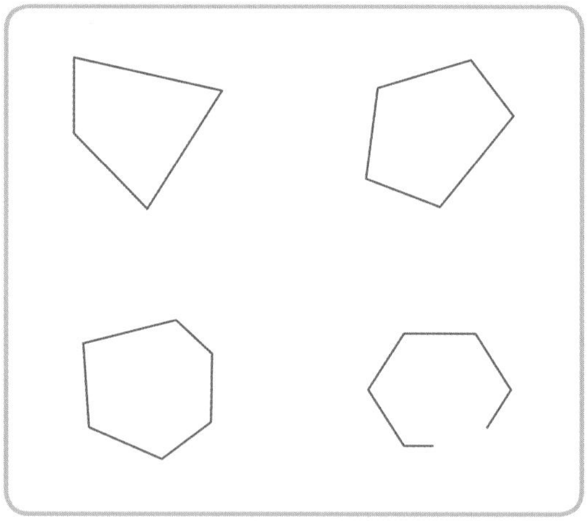

육각형

곧은 선 6개로 둘러싸인 도형을 육각형이라고 합니다.

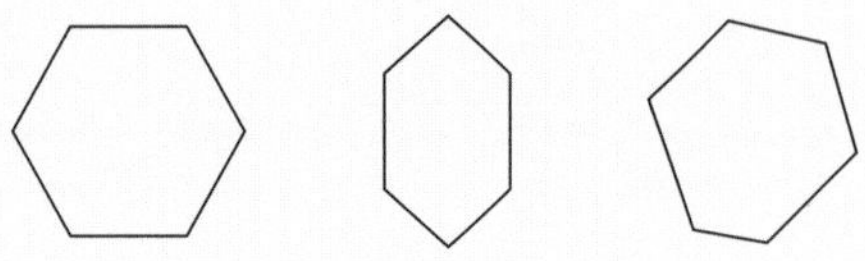

육각형은 변이 6개, 꼭짓점이 6개입니다.

점을 이어 육각형을 그려 보세요.

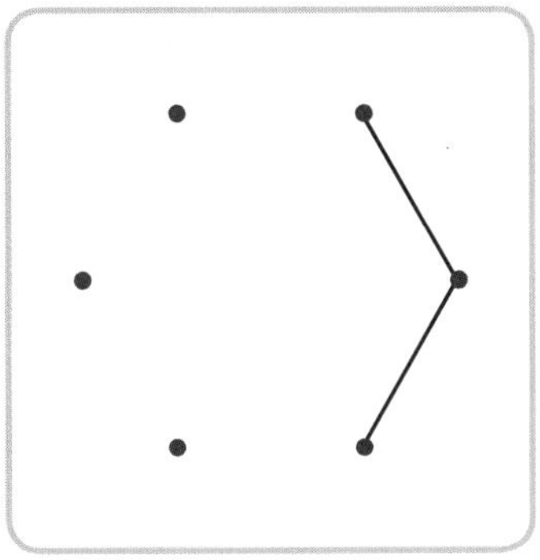
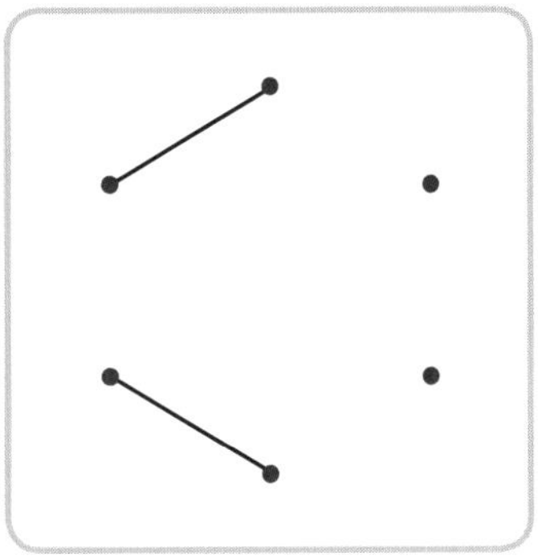
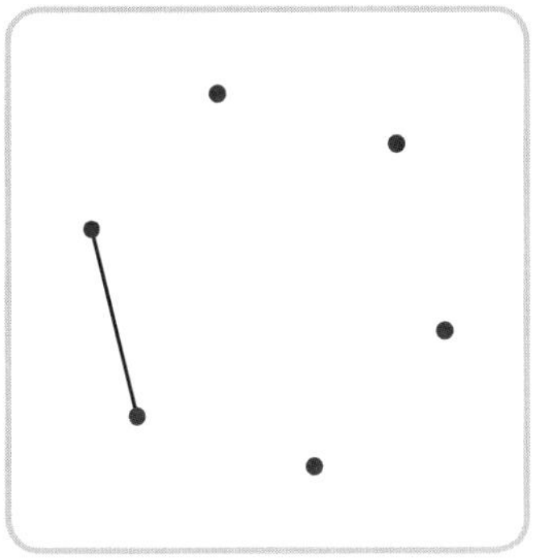
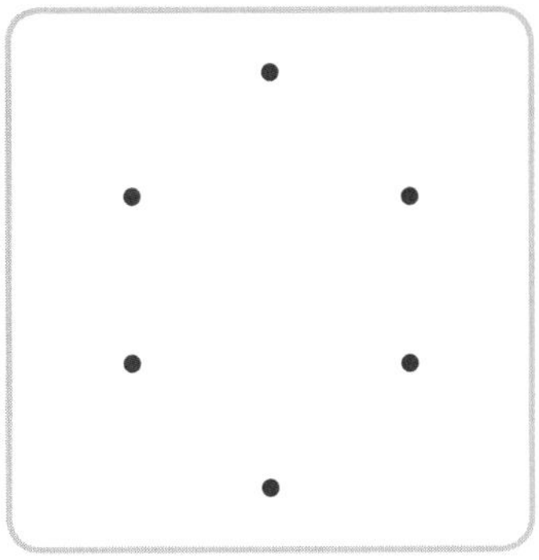
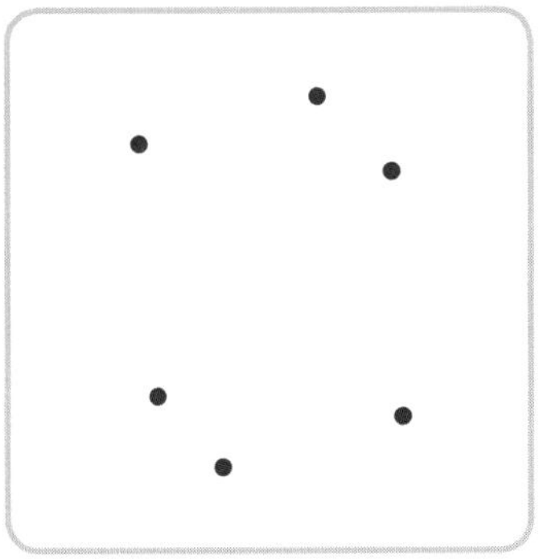
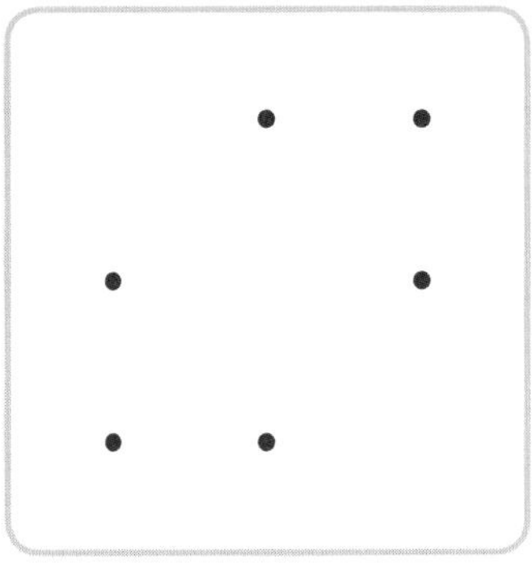
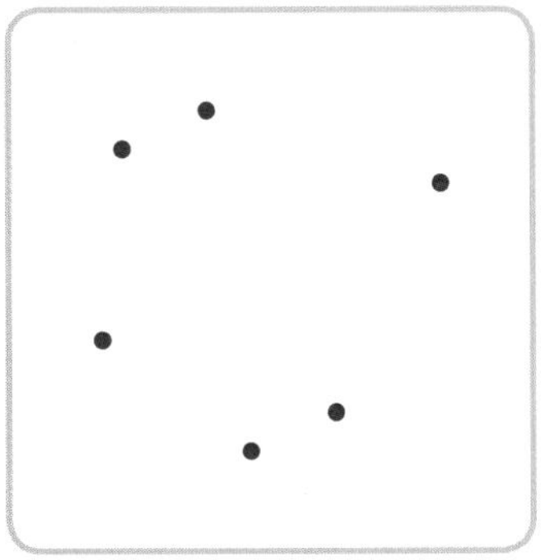
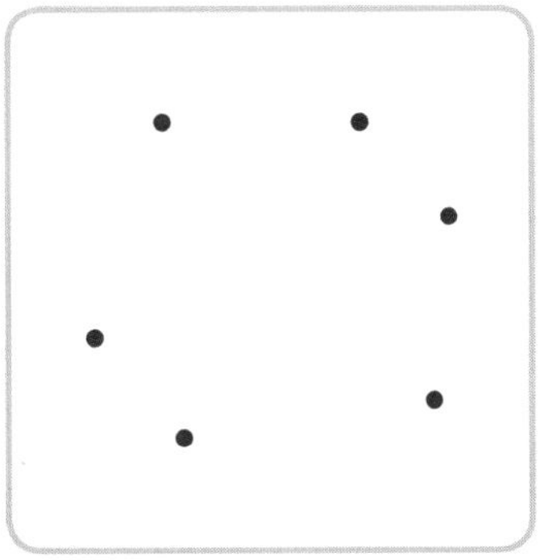
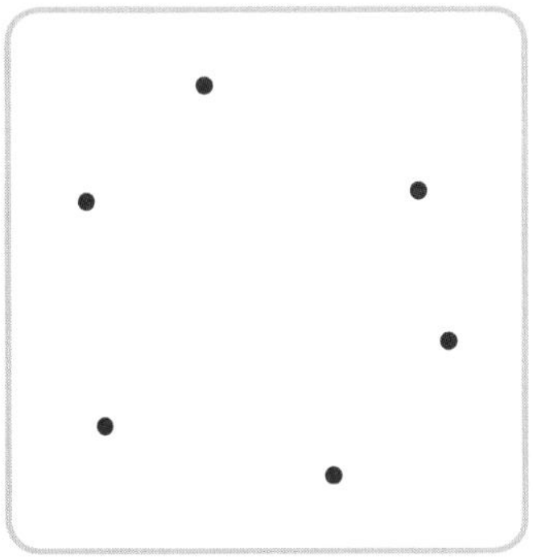

13일 꼭짓점 늘리기

1 왼쪽 사각형에서 • 표시된 점으로 꼭짓점을 늘린 오각형을 그려 보세요.

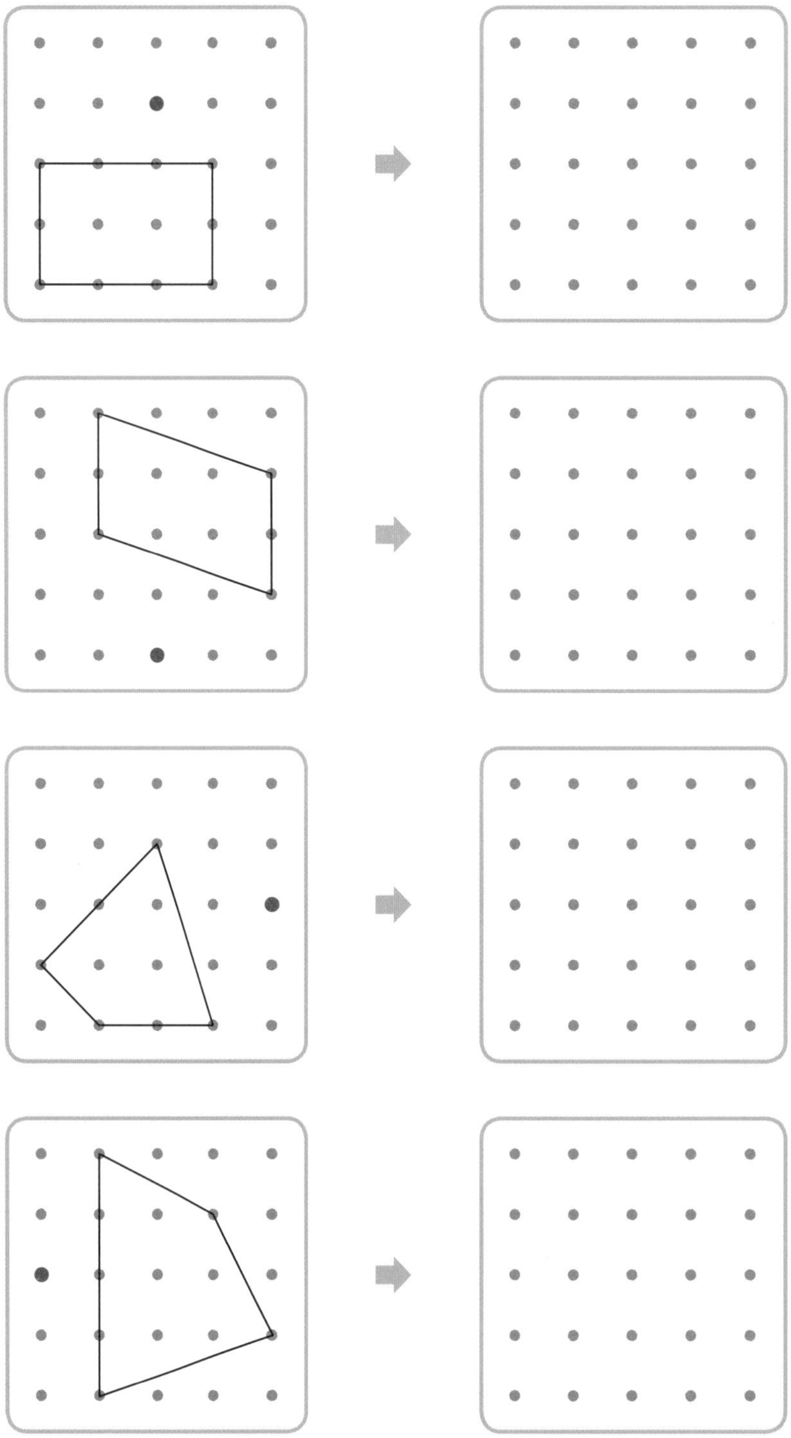

왼쪽 오각형에서 • 표시된 점으로 꼭짓점을 늘린 육각형을 그려 보세요.

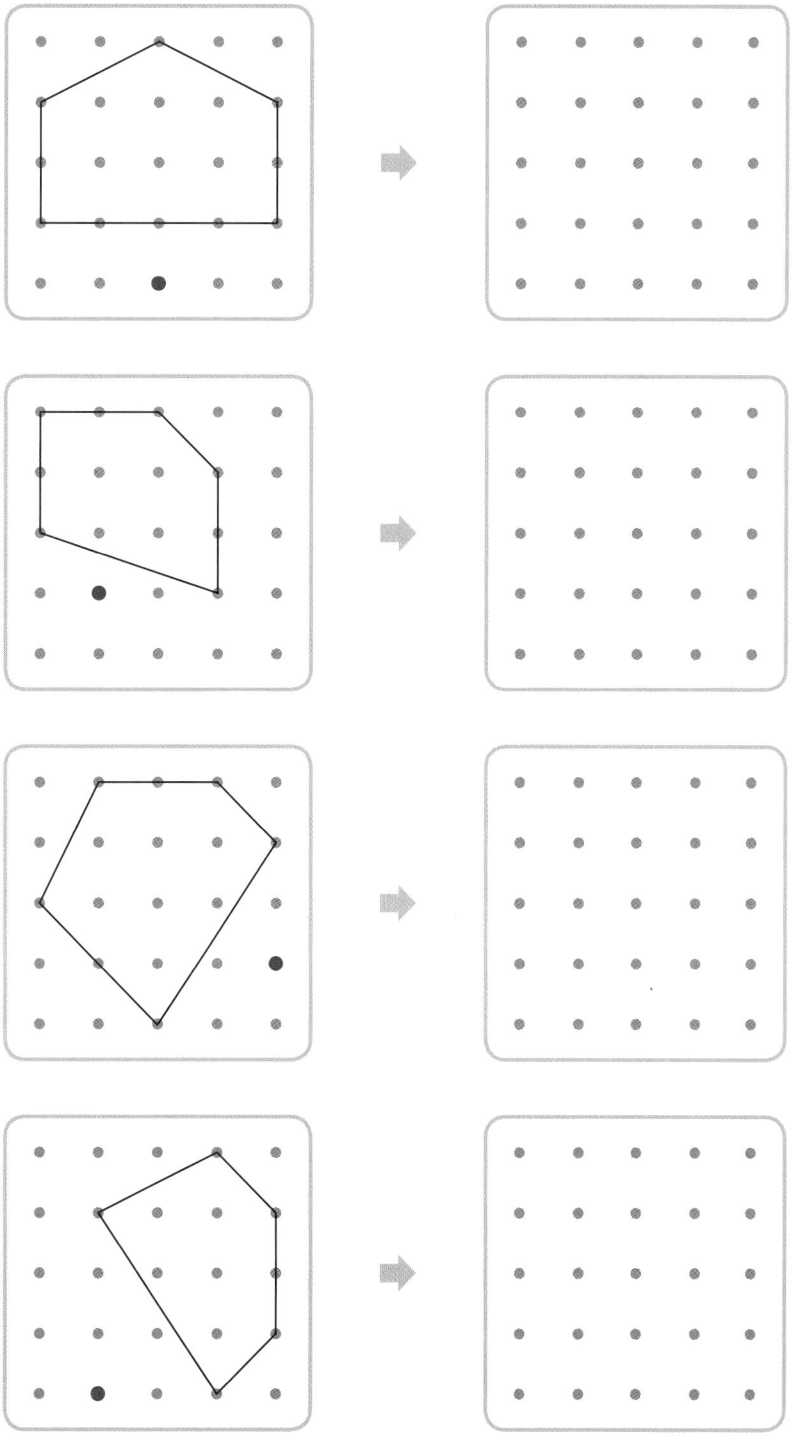

14일 도형의 특징

1. 도형을 보고 표를 완성해 보세요.

도형	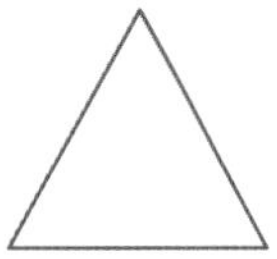	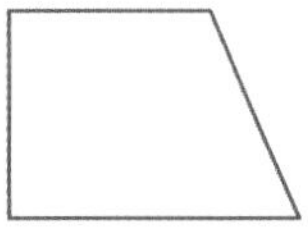	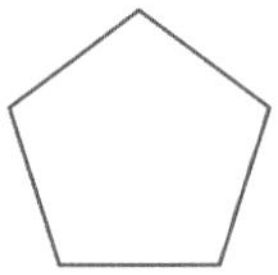	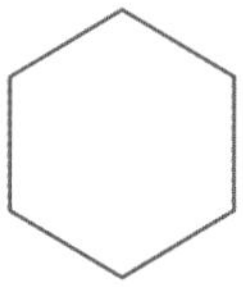
변의 수	3			
꼭짓점의 수	3			
도형의 이름	삼각형			

도형	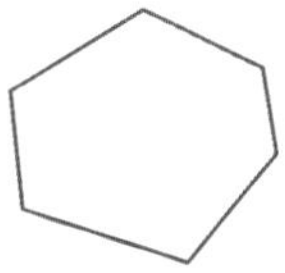	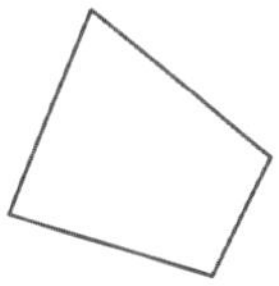	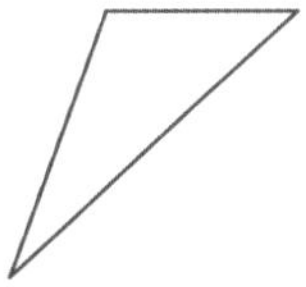	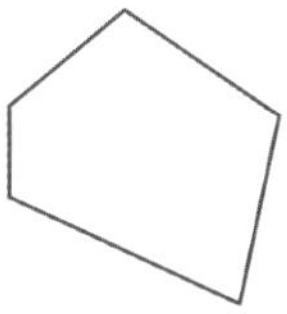
변의 수				
꼭짓점의 수				
도형의 이름				

빈칸에 알맞은 수 또는 도형의 이름을 써넣으세요.

사각형보다 꼭짓점이 1개 더 많은 도형은 [ ] 입니다.

삼각형보다 변이 3개 더 많은 도형은 [ ] 입니다.

오각형은 삼각형보다 변이 [ ] 개 더 많습니다.

육각형은 오각형보다 꼭짓점이 [ ] 개 더 많습니다.

사각형과 오각형의 변의 수의 합은 [ ] 입니다.

꼭짓점과 변의 수의 합이 10인 도형은 [ ] 입니다.

15일 여러 가지 도형

물음에 답하세요.

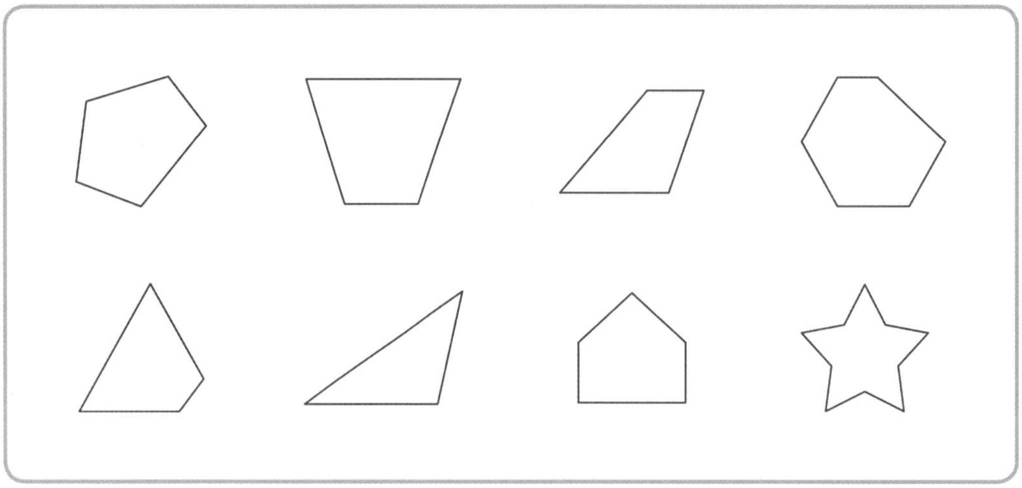

변이 4개인 도형은 모두 몇 개일까요? □개

꼭짓점이 5개인 도형은 모두 몇 개일까요? □개

변이 6개인 도형은 모두 몇 개일까요? □개

물음에 답하세요.

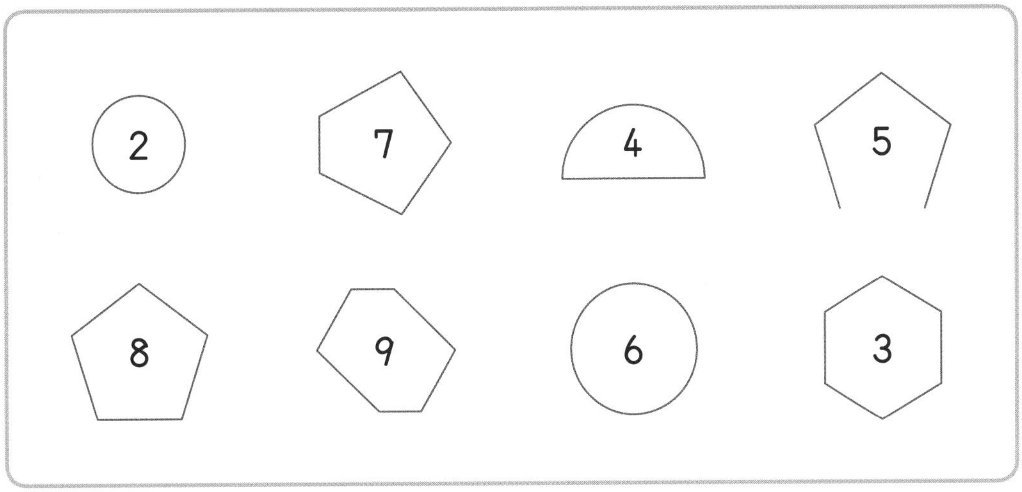

원 안에 있는 수의 합은 얼마일까요? ( )

오각형 안에 있는 수의 합은 얼마일까요? ( )

육각형 안에 있는 수의 합은 얼마일까요? ( )

규칙을 찾아 빈칸에 알맞은 수를 써넣으세요.

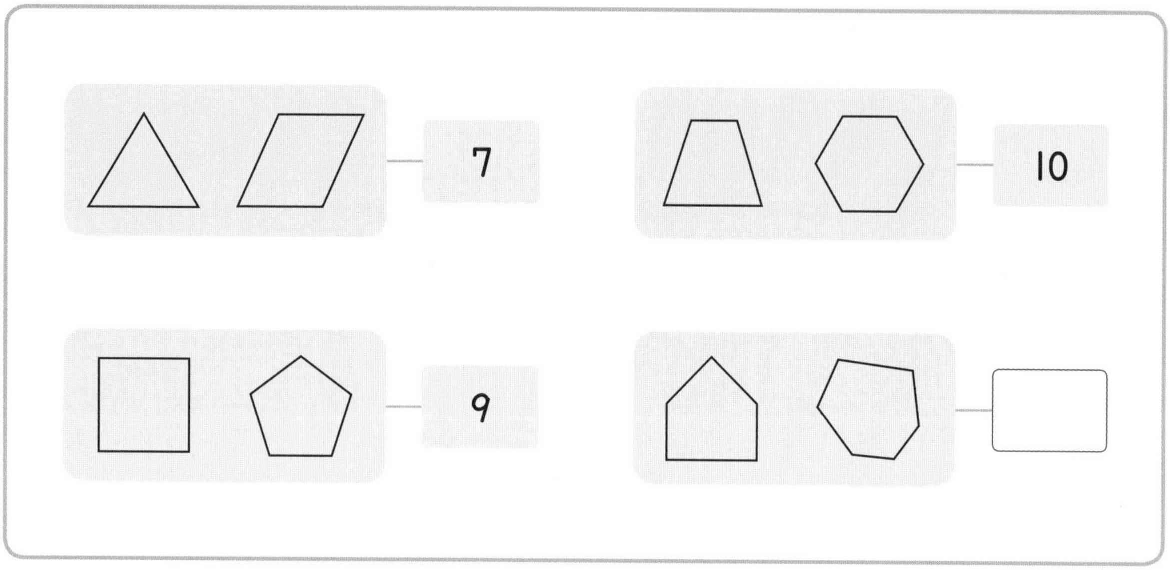

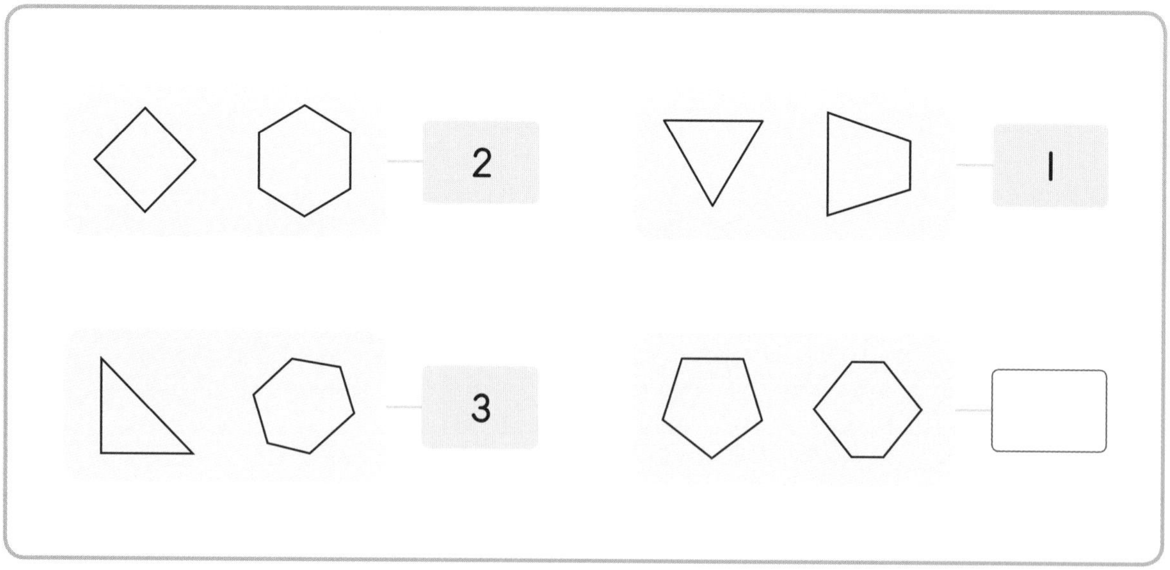

4주차
16~20일

칠교판

※ 정답 13쪽의 칠교판을 잘라서 이용해 보세요.

16일 칠교판 조각

칠교판 조각을 보고 빈칸에 알맞은 수를 써넣으세요.

칠교판은 삼각형과 사각형 7조각으로 이루어진 퍼즐입니다.

칠교판 조각에는 삼각형이 ☐개 있습니다.

칠교판 조각에는 사각형이 ☐개 있습니다.

삼각형 중에서는 작은 삼각형 ☐개, 중간 크기의 삼각형 ☐개, 큰 삼각형 ☐개가 있습니다.

칠교판

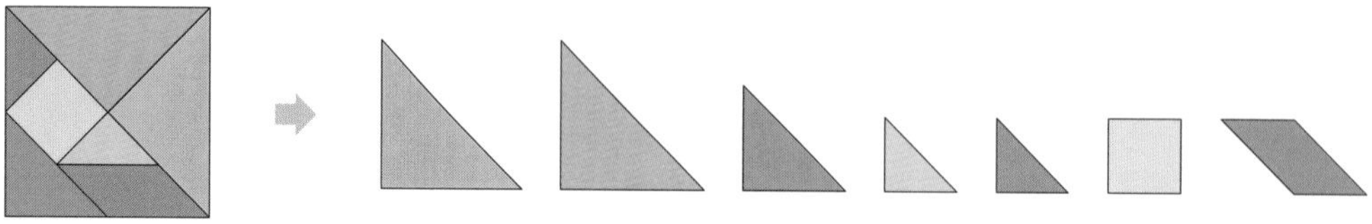

왼쪽 한 조각으로 채울 수 있는 모양을 찾아 이어 보세요.

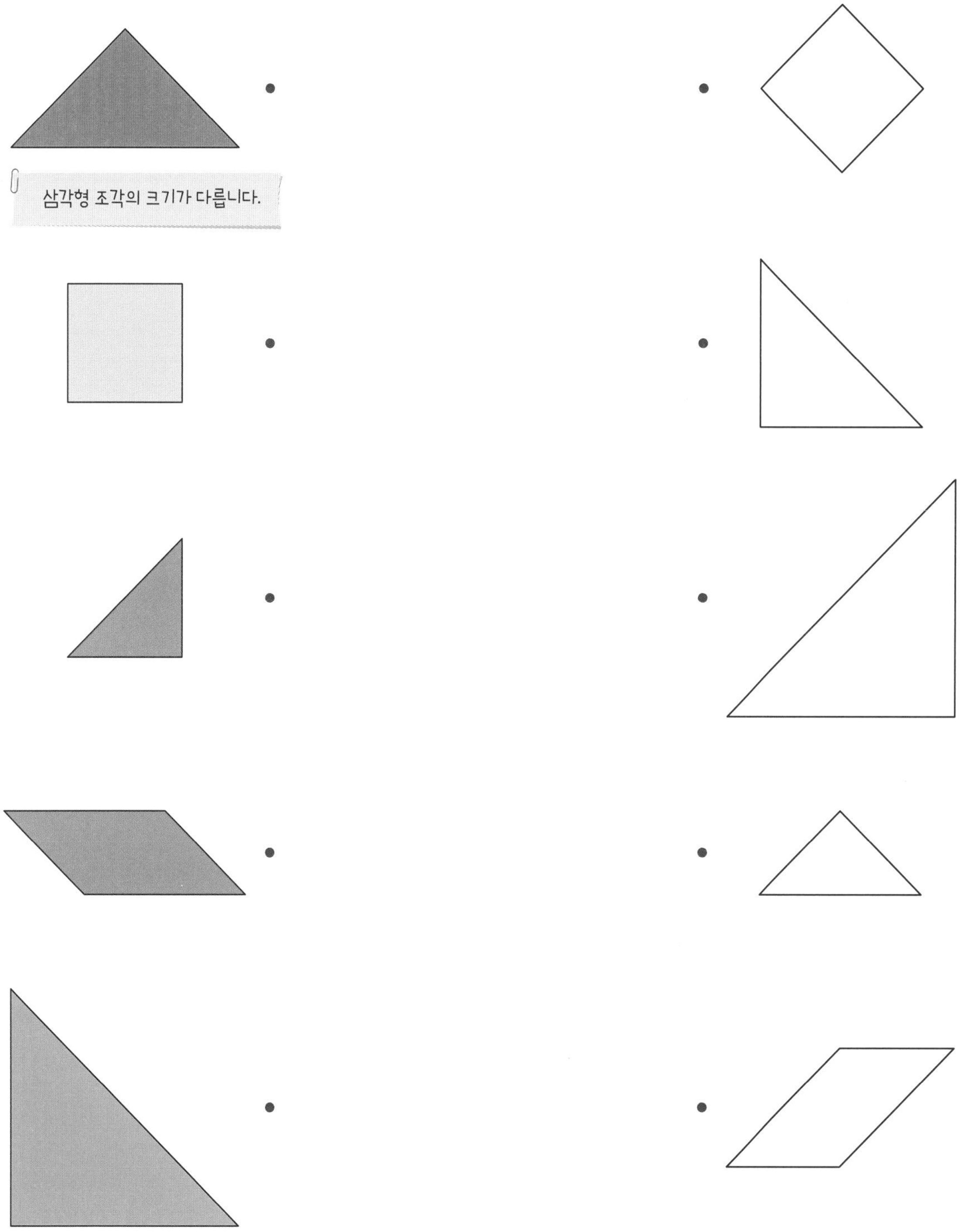

삼각형 조각의 크기가 다릅니다.

17일 큰 조각 만들기

1 칠교판의 작은 조각을 이용하여 큰 조각을 만듭니다. 큰 조각 안에 작은 조각을 놓는 선을 그어 보세요.

조각을 돌려서
놓을 수 있습니다.

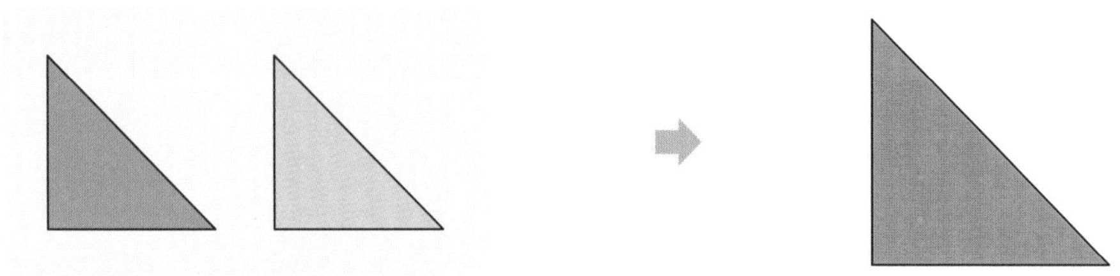

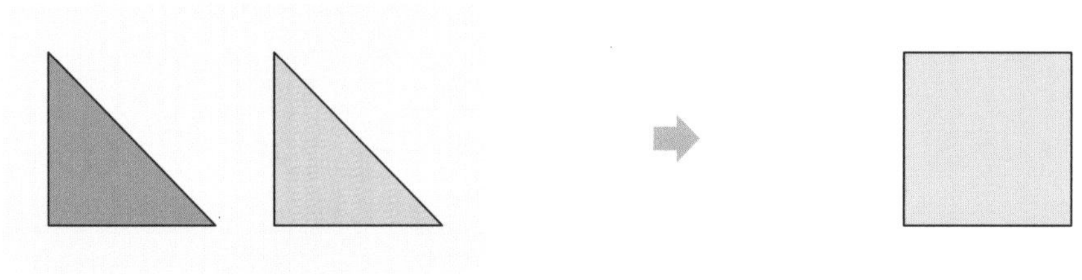

칠교판의 작은 조각을 이용하여 큰 조각을 만듭니다. 큰 조각 안에 작은 조각을 놓는 선을 그어 보세요.

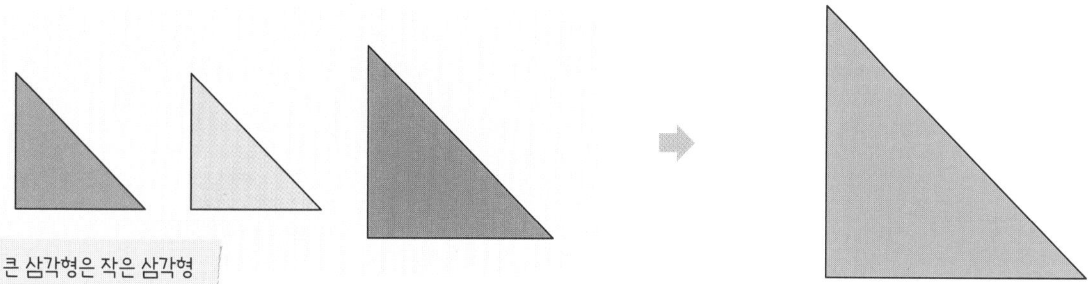

큰 삼각형은 작은 삼각형 4개로 만들 수 있습니다.

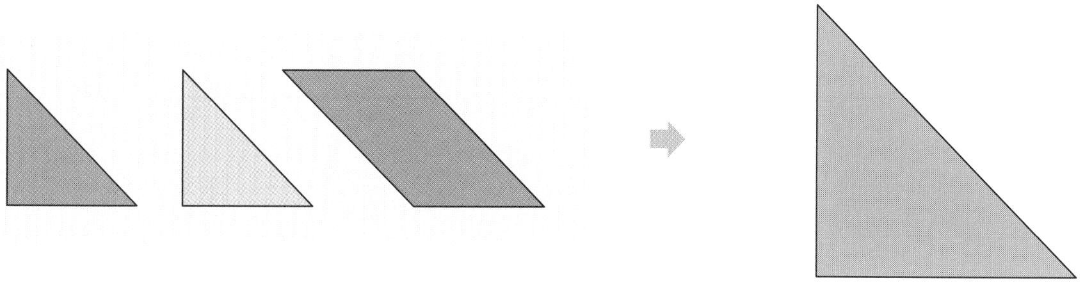

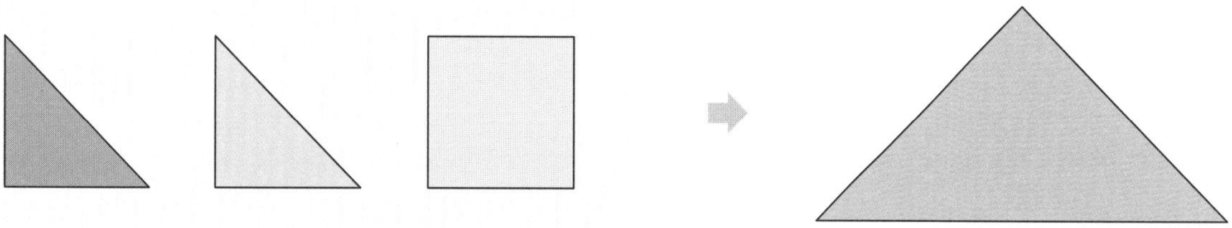

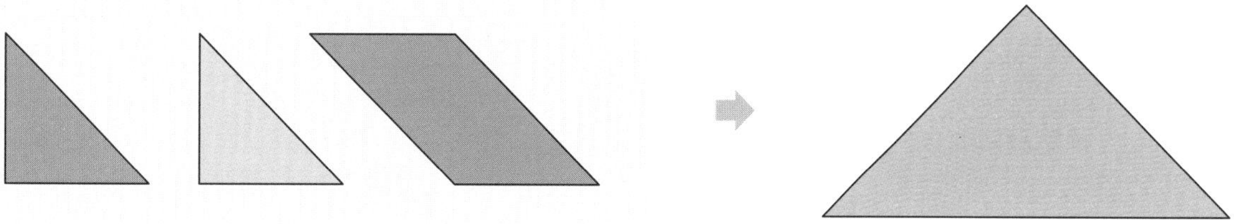

18일 삼각형과 사각형

주어진 조각으로 삼각형을 만듭니다. 삼각형 안에 조각을 놓는 선을 그어 보세요.

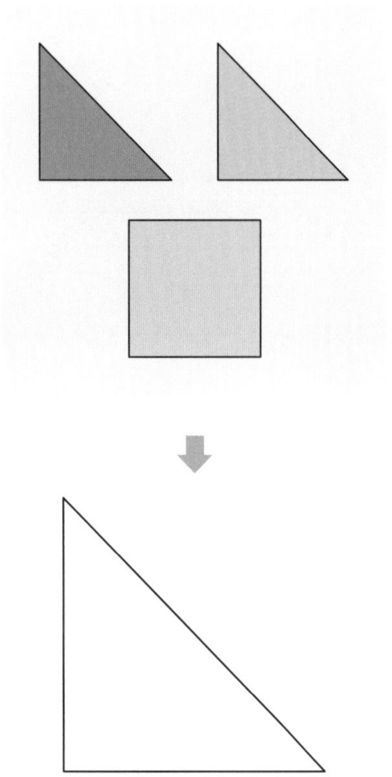

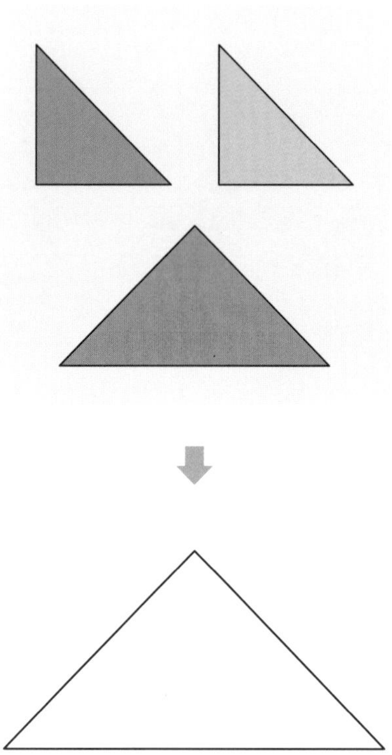

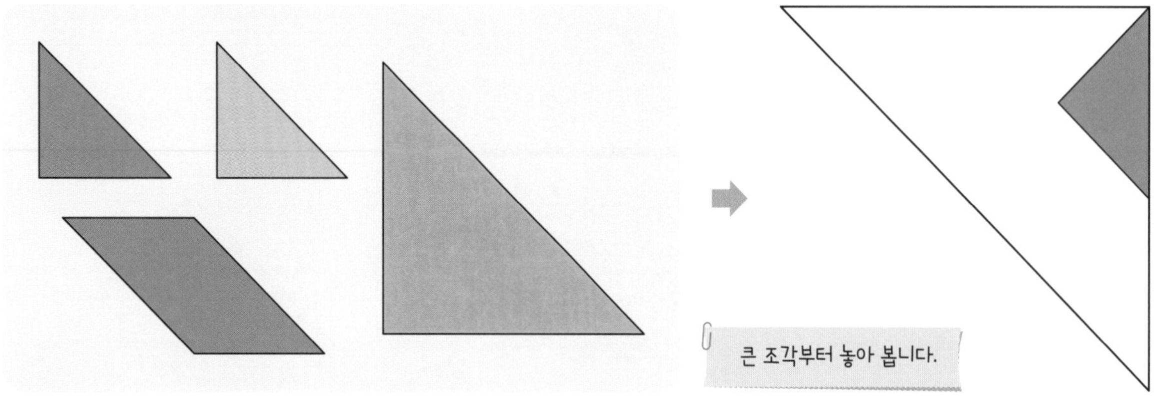

주어진 조각으로 사각형을 만듭니다. 사각형 안에 조각을 놓는 선을 그어 보세요.

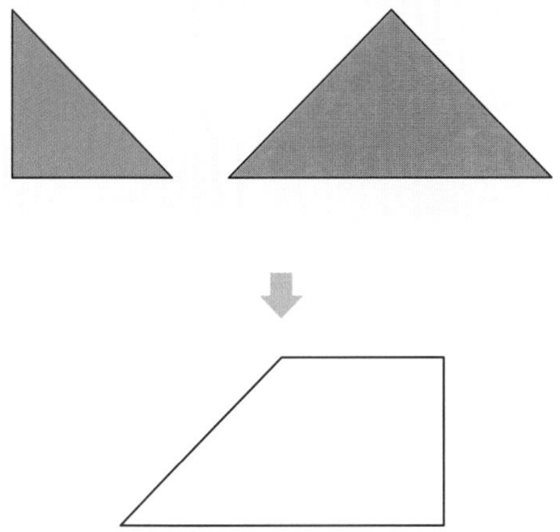

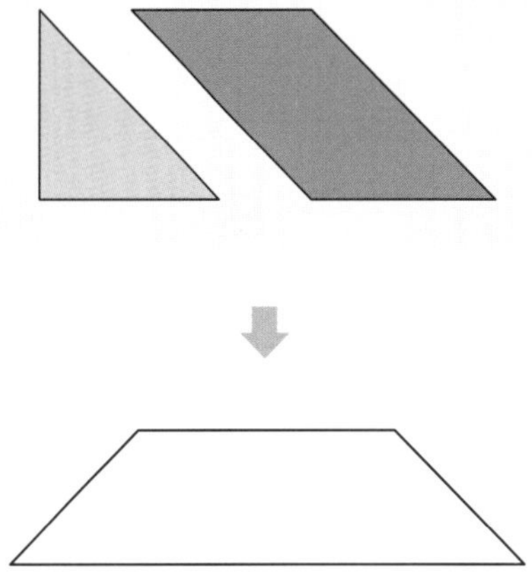

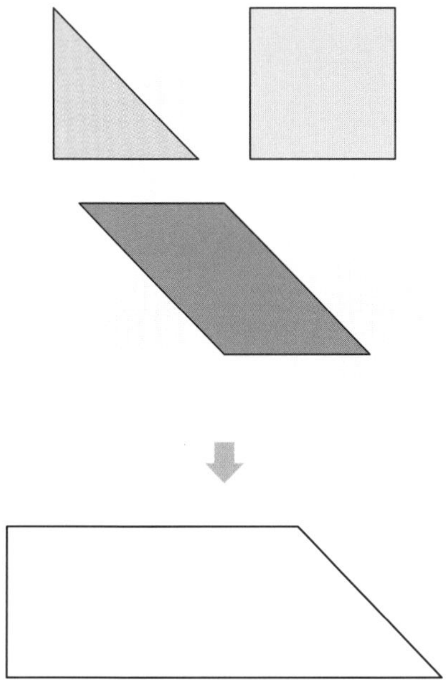

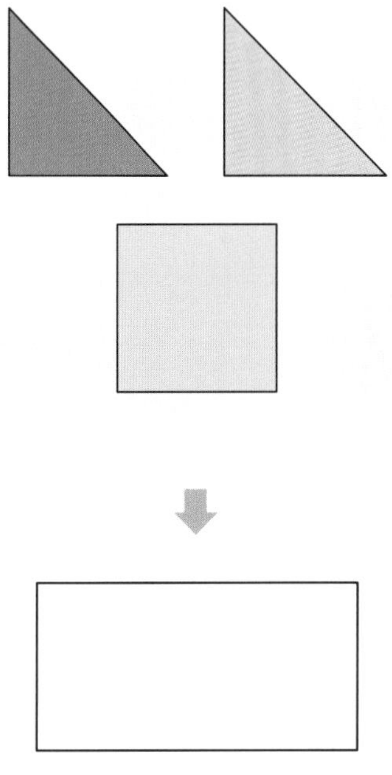

19일 오각형과 육각형

주어진 조각으로 오각형을 만듭니다. 오각형 안에 조각을 놓는 선을 그어 보세요.

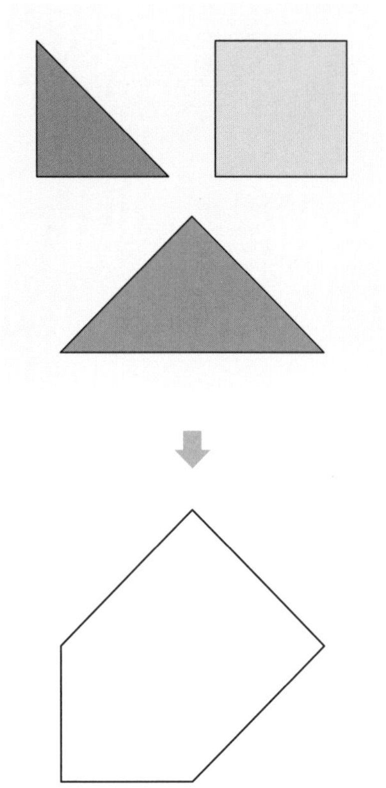

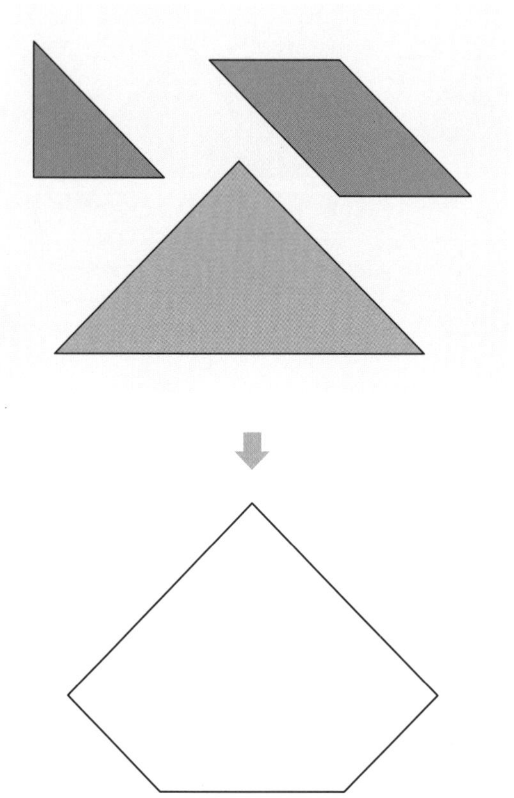

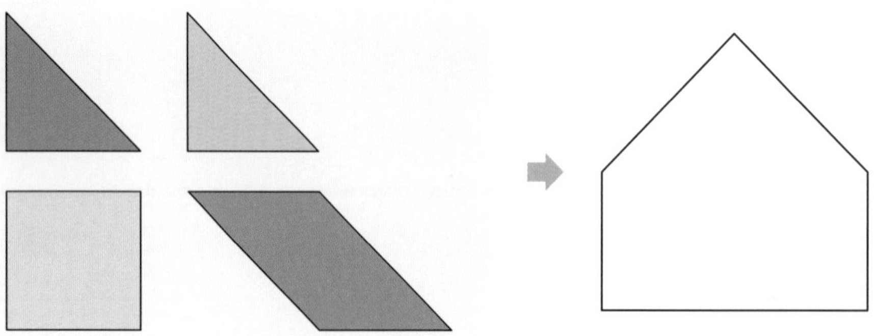

주어진 조각으로 육각형을 만듭니다. 육각형 안에 조각을 놓는 선을 그어 보세요.

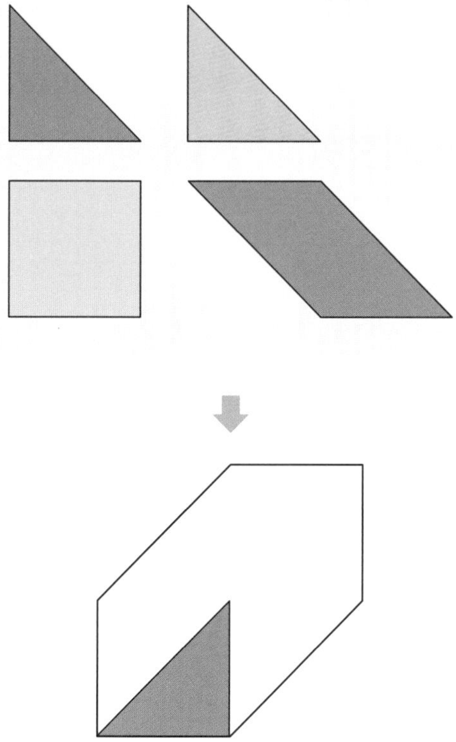

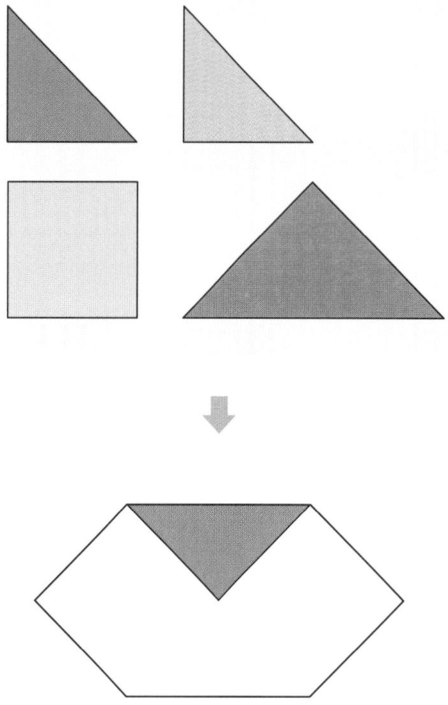

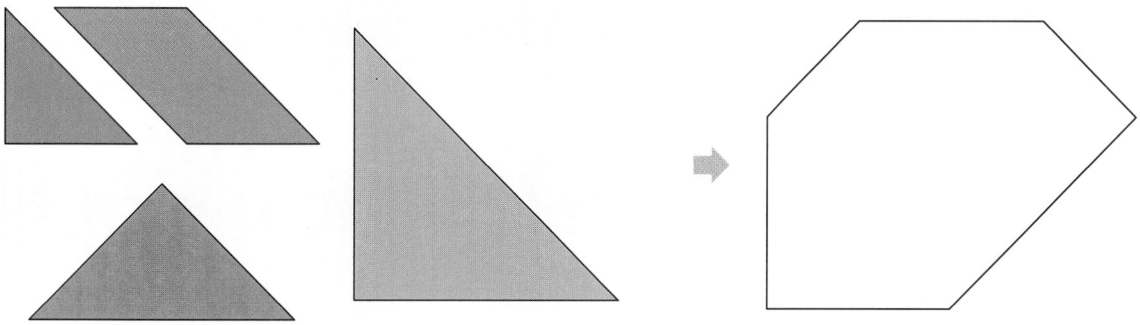

20일 모양 만들기

칠교판 7조각으로 모양을 만들고 있습니다. 모양 안에 조각을 놓는 선을 그어 보세요.

자동차

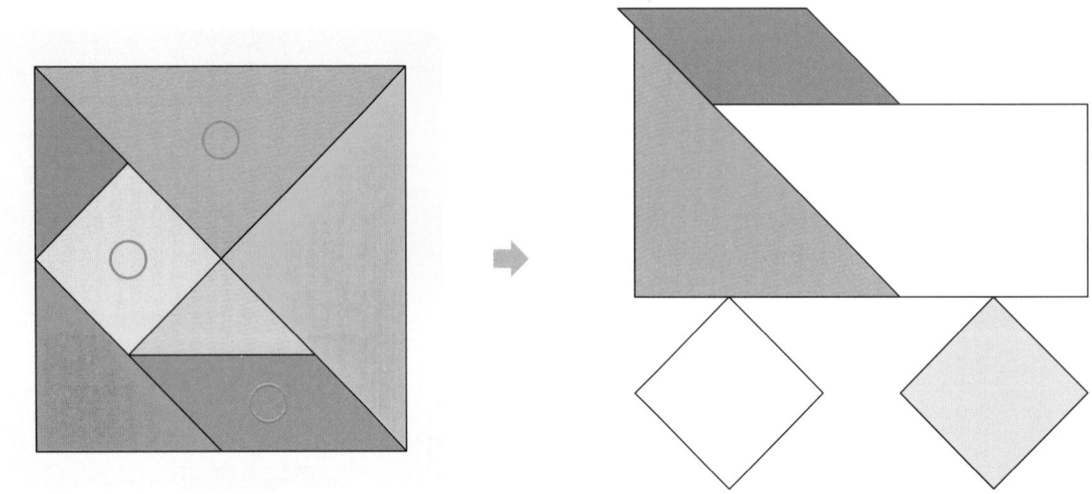

이미 이용한 조각을 표시해 봅니다.

여우

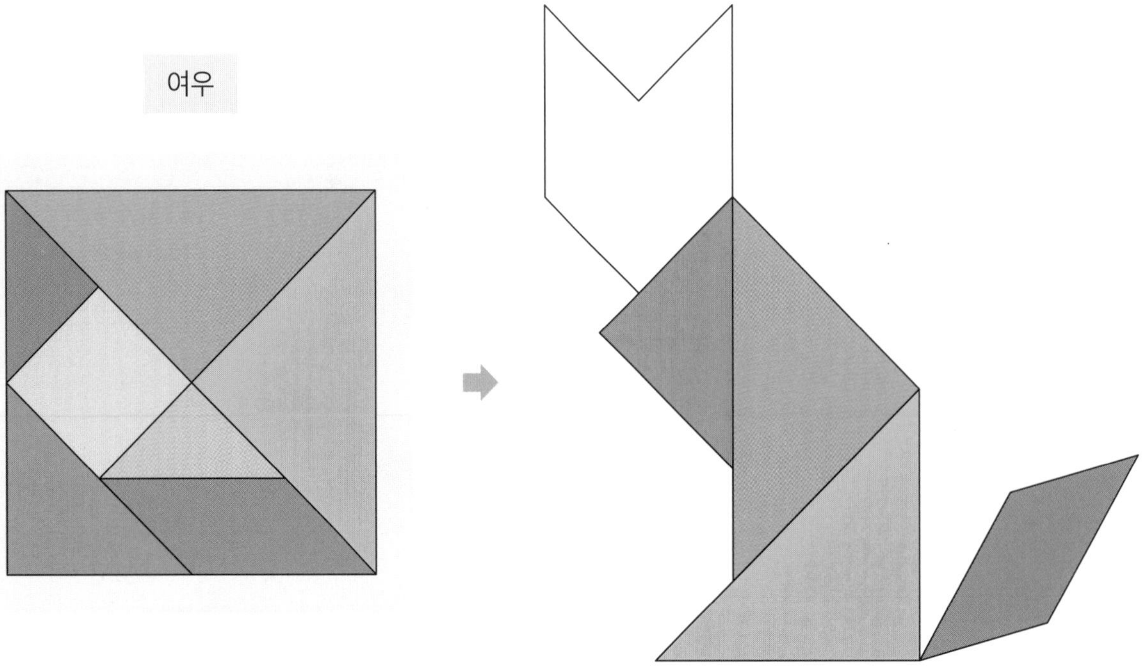

칠교판 7조각으로 모양을 만들고 있습니다. 모양 안에 조각을 놓는 선을 그어 보세요.

집

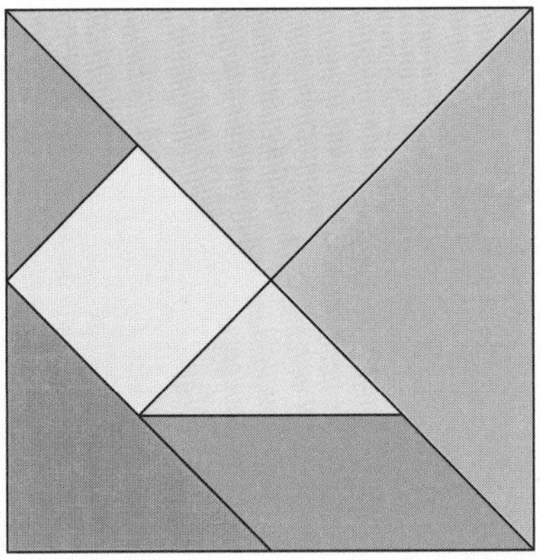

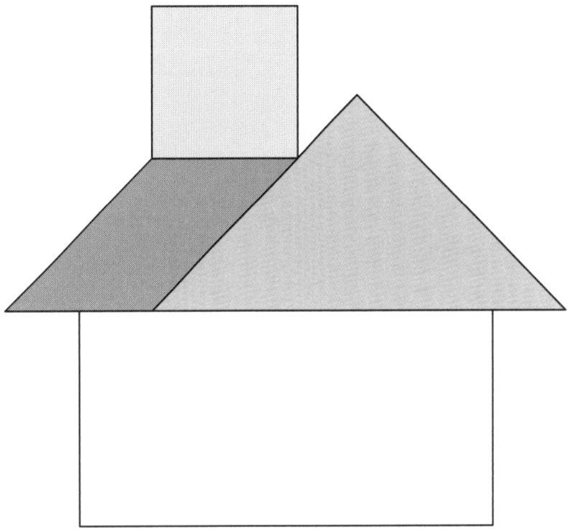

낙타

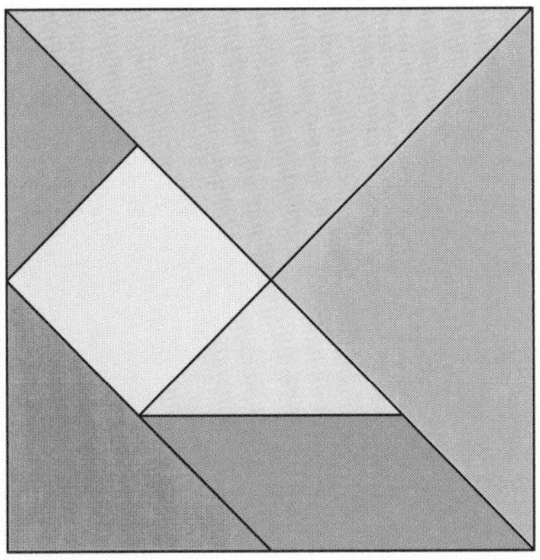

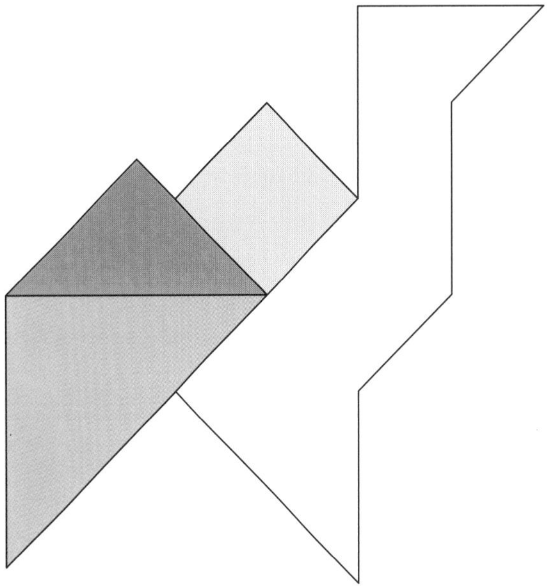

칠교판 3조각으로 만들었습니다. 이용하지 않은 조각에 ╳표 하세요.

새

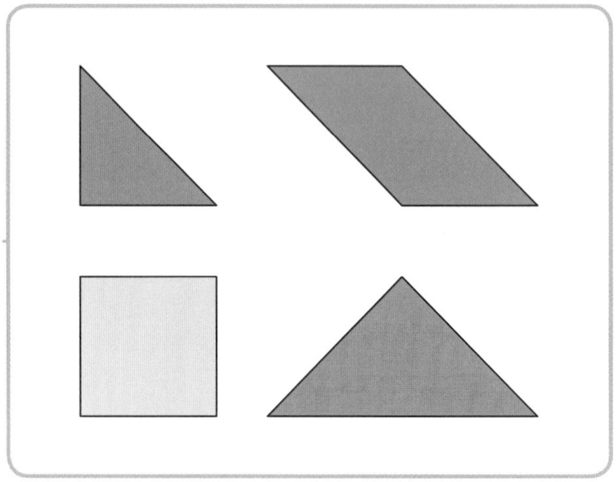

배

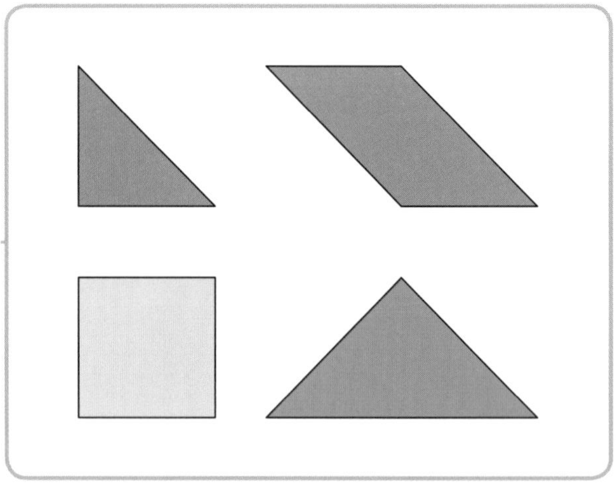

도형 플러스+

- 종이 자르기 -

PLUS 1 잘라서 나오는 도형

선을 따라 종이를 잘랐습니다. 만들어지지 않는 도형에 모두 ×표 하세요.

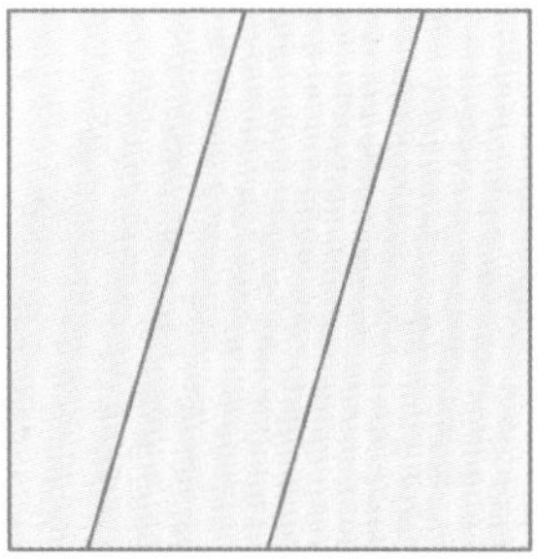

삼각형 사각형 오각형

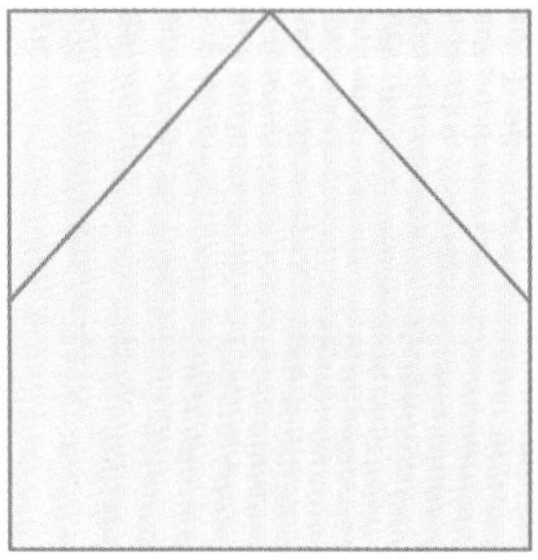

삼각형 사각형 오각형

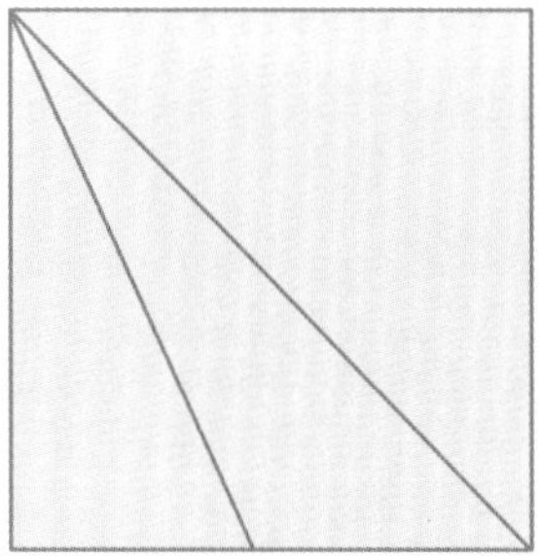

삼각형 사각형 오각형

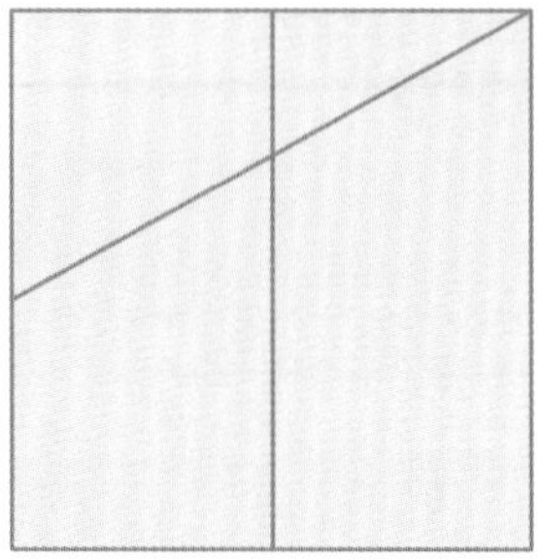

삼각형 사각형 오각형

선을 따라 종이를 잘랐습니다. 만들어지는 도형의 이름과 개수를 모두 써 보세요.

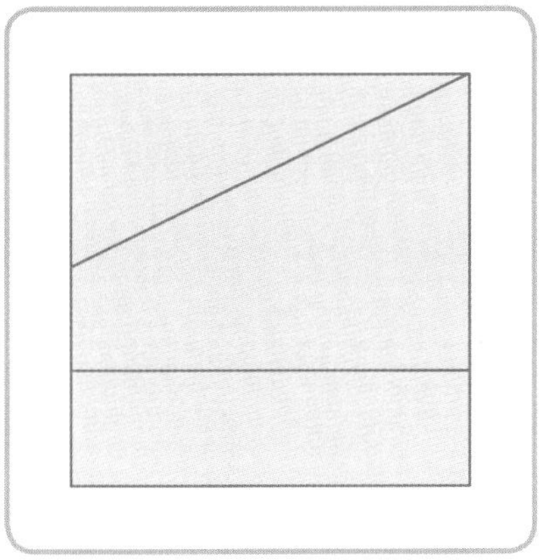

☐ → ☐개

☐ → ☐개

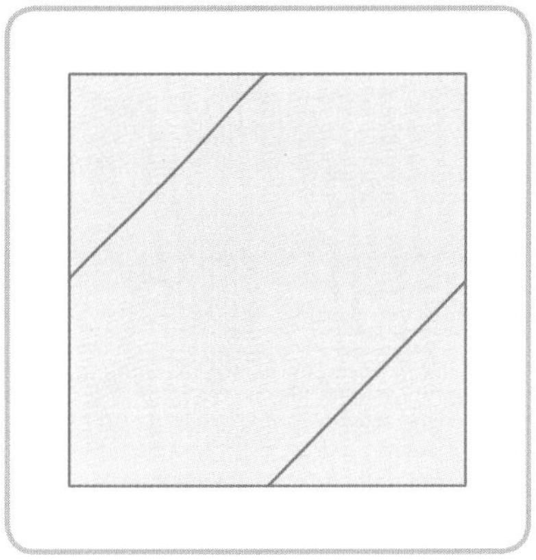

☐ → ☐개

☐ → ☐개

☐ → ☐개

☐ → ☐개

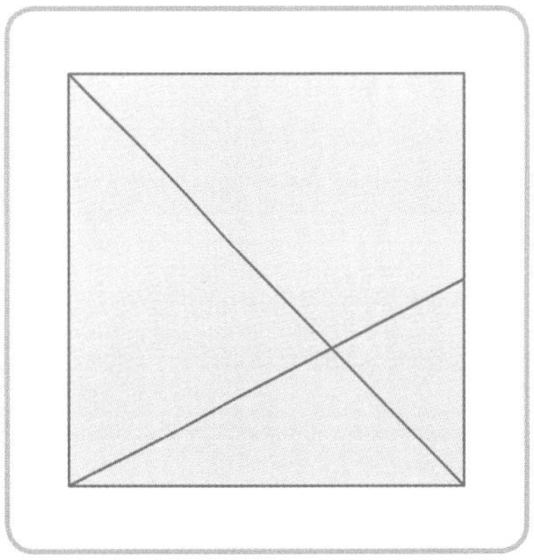

☐ → ☐개

☐ → ☐개

PLUS 2 곧은 선 1개

선을 따라 종이를 자르려고 합니다. 주어진 개수에 맞는 도형이 만들어지도록 곧은 선 1개를 그어 보세요.

삼각형 2개

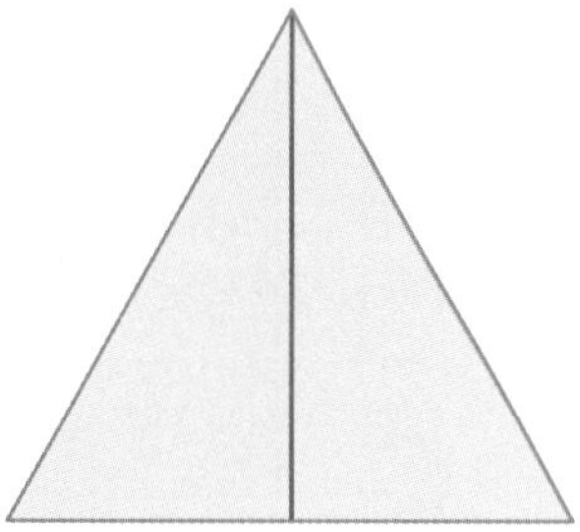

삼각형 1개
사각형 1개

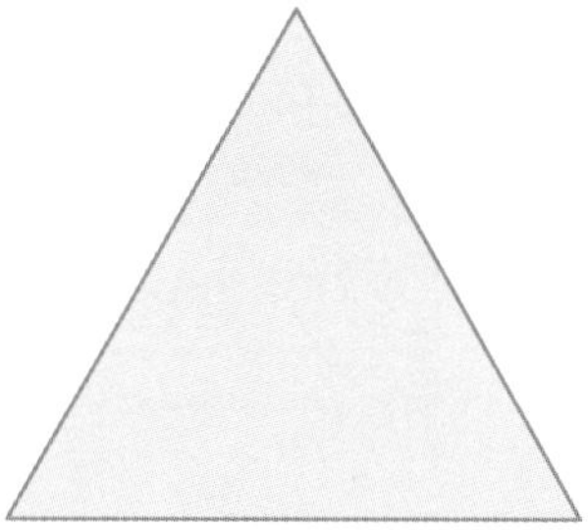

사각형 2개

삼각형 2개

삼각형 1개
사각형 1개

삼각형 1개
오각형 1개

선을 따라 종이를 자르려고 합니다. 주어진 개수에 맞는 도형이 만들어지도록 곧은 선 1개를 그어 보세요.

삼각형 1개
사각형 1개

삼각형 1개
육각형 1개

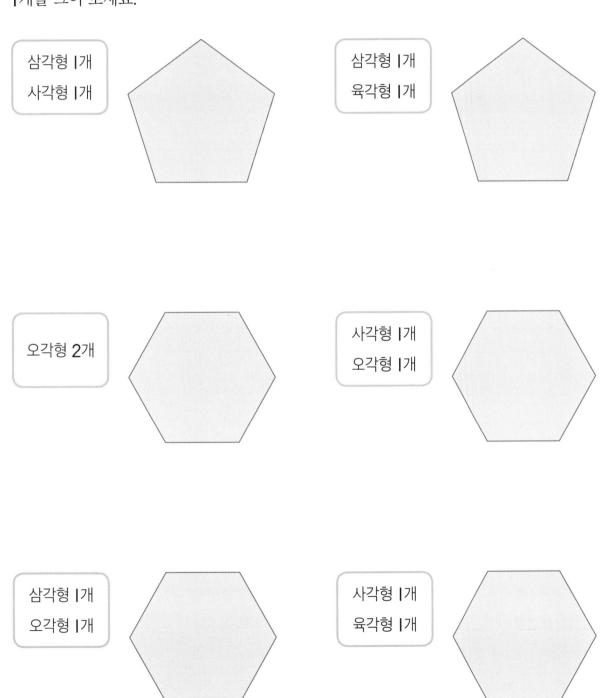

오각형 2개

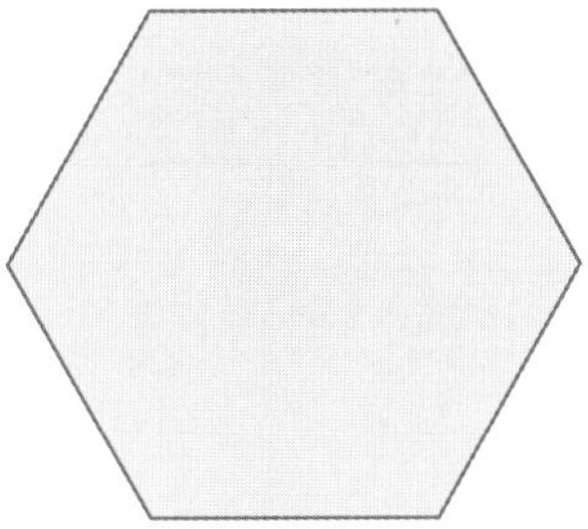

사각형 1개
오각형 1개

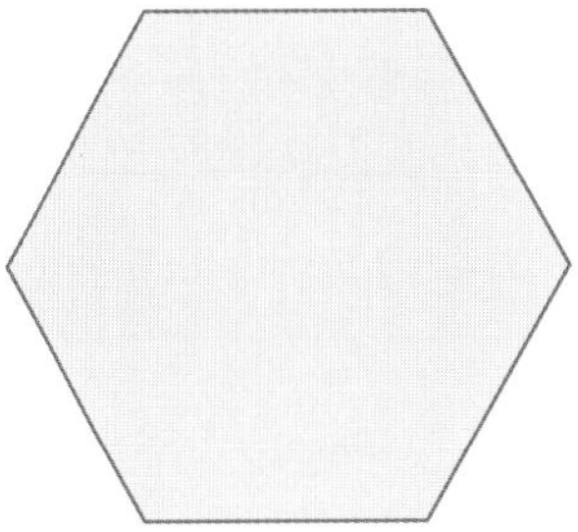

삼각형 1개
오각형 1개

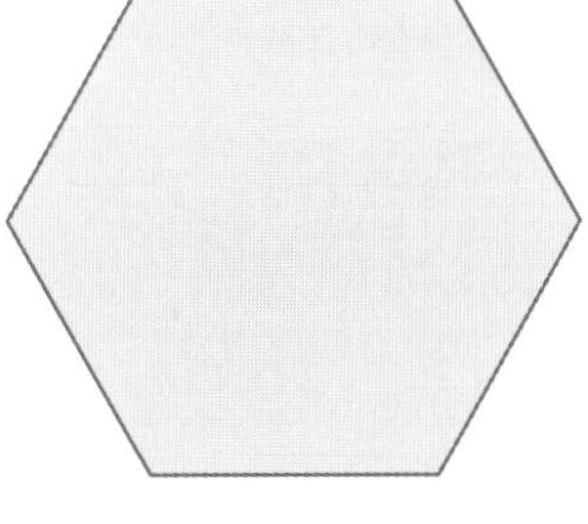

사각형 1개
육각형 1개

PLUS 3 곧은 선 2개

선을 따라 종이를 자르려고 합니다. 도형이 주어진 개수대로 만들어지도록 곧은 선 1개를 더 그어 보세요. 단, 곧은 선의 양끝은 종이의 변이나 꼭짓점에 닿아야 합니다.

삼각형 3개

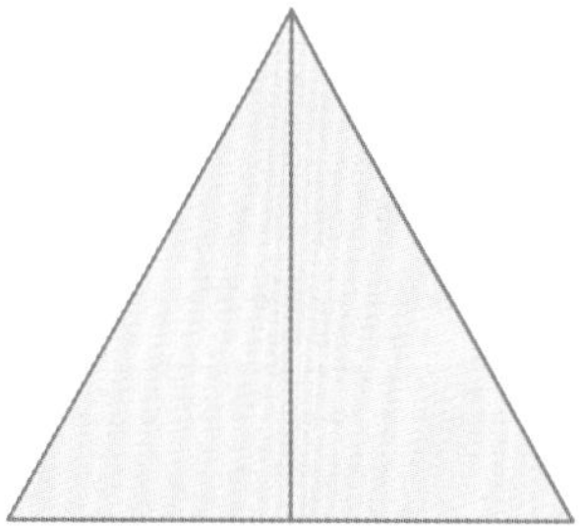

삼각형 1개
사각형 2개

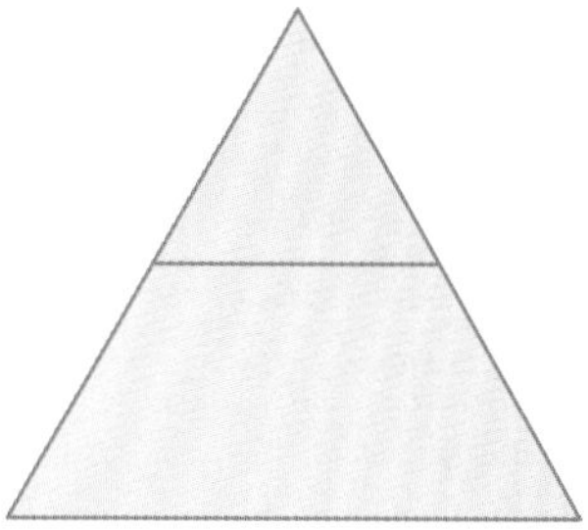

곧은 선은 종이를 가로지르도록 긋습니다.

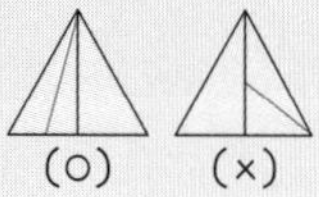

삼각형 2개
사각형 2개

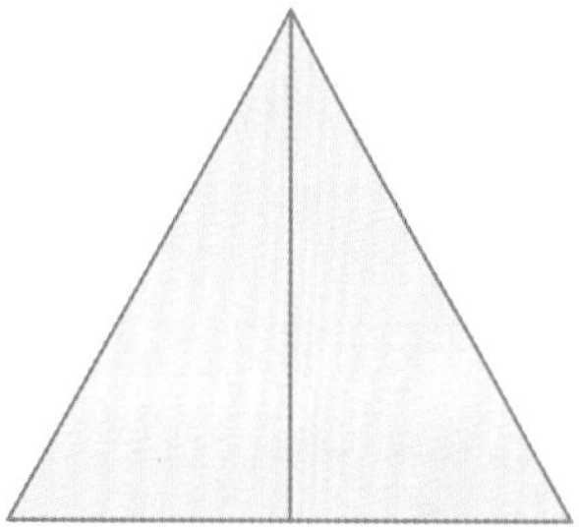

삼각형 2개
오각형 1개

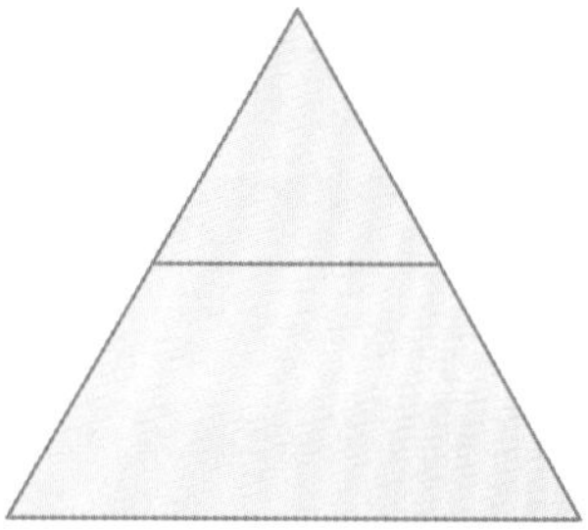

삼각형 1개
사각형 3개

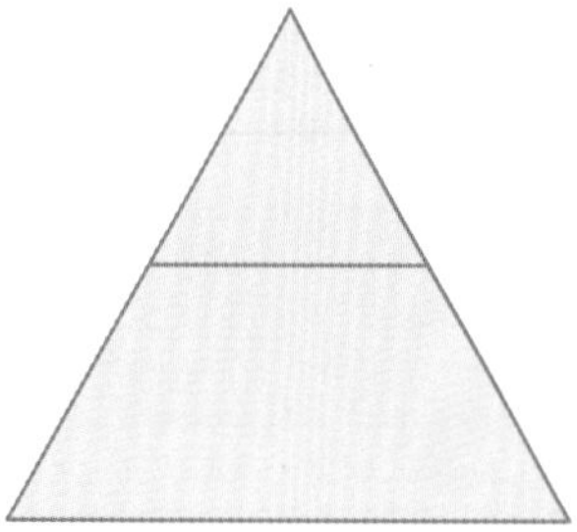

삼각형 3개
사각형 1개

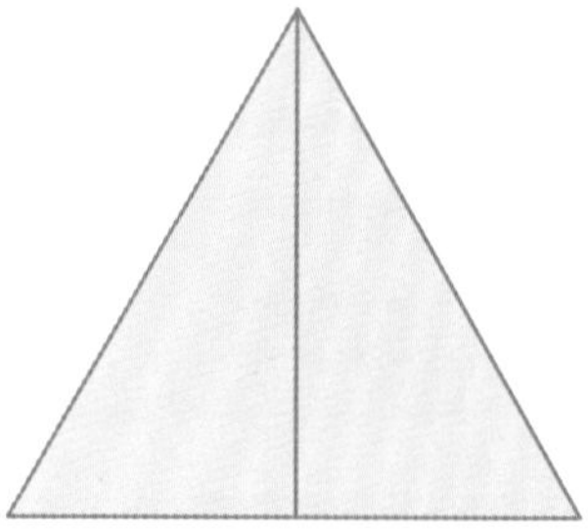

선을 따라 종이를 자르려고 합니다. 도형이 주어진 개수대로 만들어지도록 곧은 선 I개를 더 그어 보세요. 단, 곧은 선의 양끝은 종이의 변이나 꼭짓점에 닿아야 합니다.

삼각형 3개

사각형 4개

삼각형 2개
사각형 I개

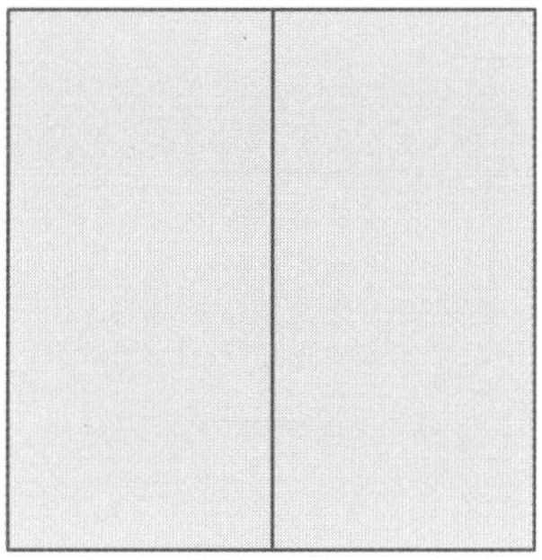

삼각형 2개
사각형 2개

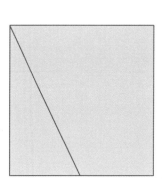

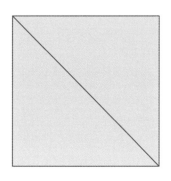

삼각형 2개
오각형 2개

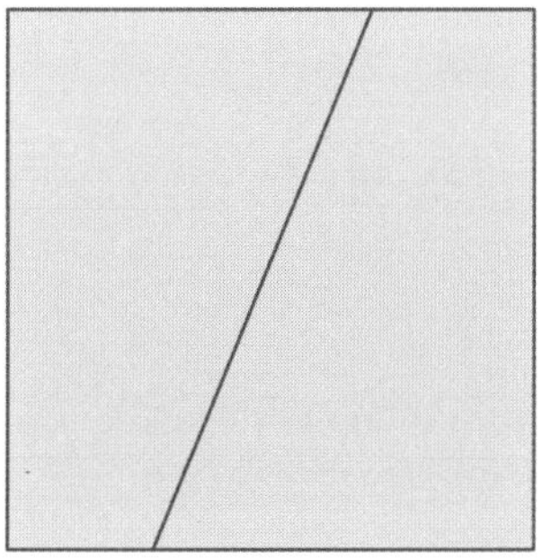

삼각형 I개
사각형 2개
오각형 I개

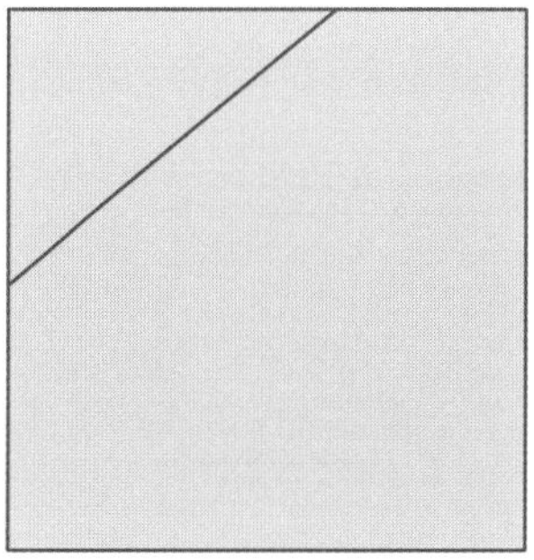

memo

형성평가

형성평가 1회

1 삼각형을 찾아 ○표 하세요.

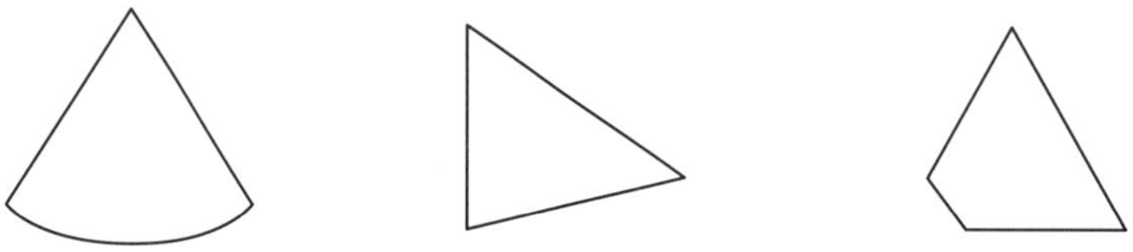

( ) ( ) ( )

2 왼쪽 도형과 똑같이 그리고, 도형의 이름을 써 보세요.

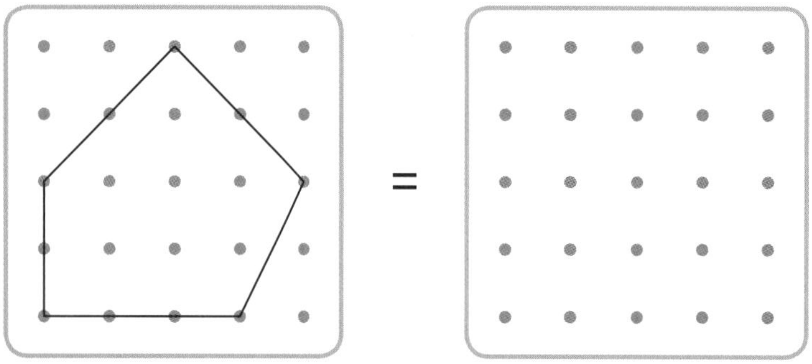

( )

3 변의 수가 많은 도형부터 차례로 기호를 써 보세요.

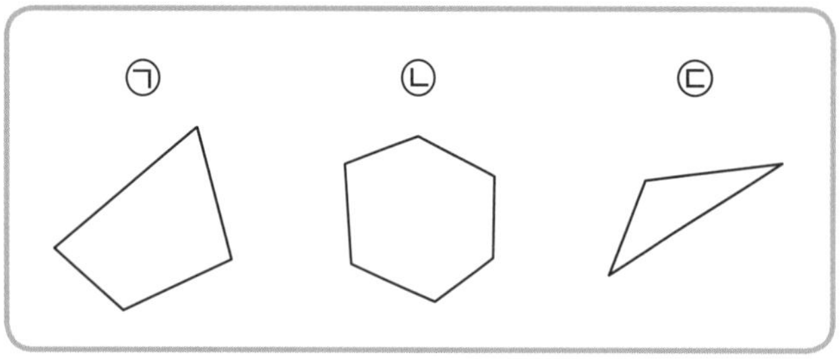

□ − □ − □

4 색종이를 점선을 따라 자를 때 나오는 도형의 이름과 개수를 써 보세요.

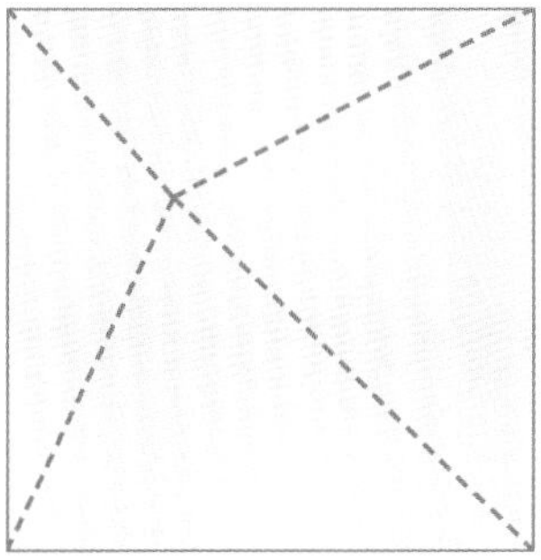

[ ] ➡ [ ]개

5 빈칸에 알맞은 수를 써넣으세요.

사각형은 삼각형보다 꼭짓점이 [ ]개 더 많습니다.

육각형은 사각형보다 변이 [ ]개 더 많습니다.

6 크고 작은 사각형은 모두 몇 개일까요?

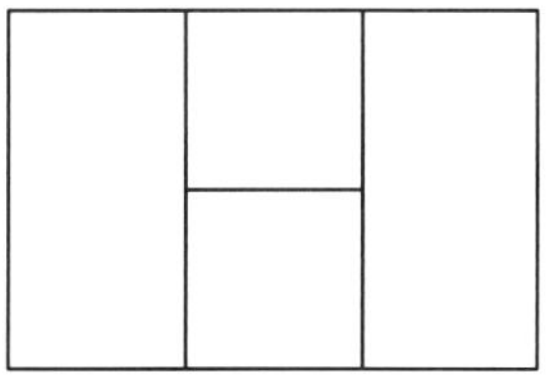

(   )개

형성평가 2회

1 삼각형에는 '3', 사각형에는 '4', 오각형에는 '5'를 써 보세요.

(　　　)　　(　　　)　　(　　　)

2 점을 이어 오각형과 육각형을 그려 보세요.

오각형

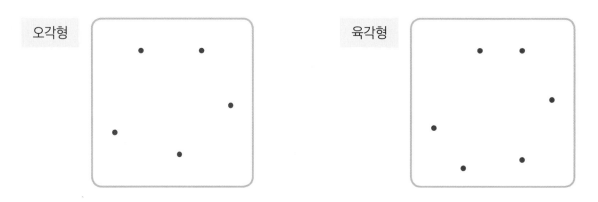

육각형

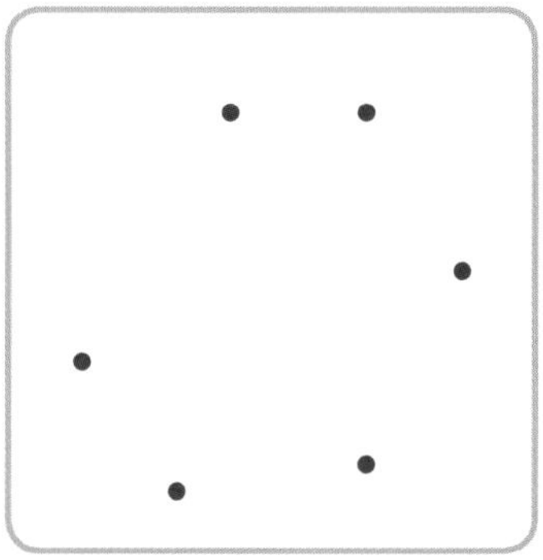

3 왼쪽 삼각형에서 • 표시된 점으로 꼭짓점을 늘린 사각형을 그려 보세요.

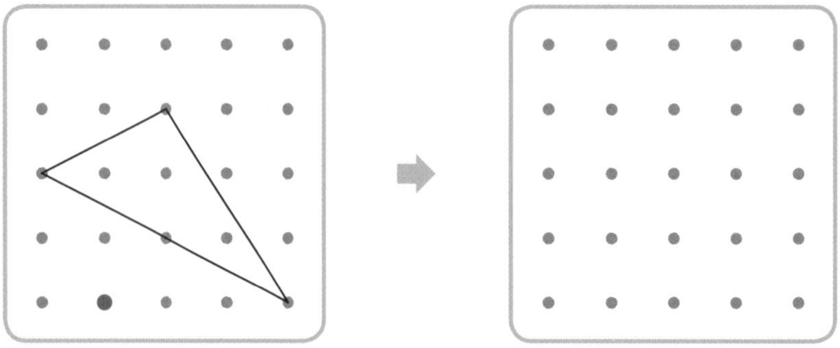

4 사각형을 찾아 사각형 안에 있는 수의 합을 구해 보세요.

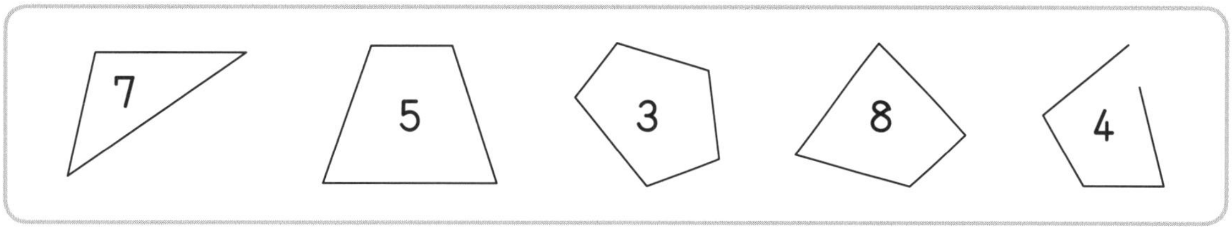

( )

5 점을 이어 도형의 안쪽에 점이 3개 있는 오각형을 그려 보세요.

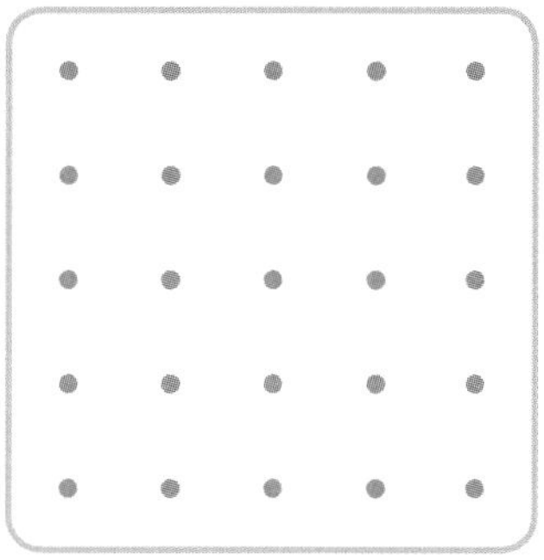

6 주어진 조각으로 사각형을 만듭니다. 사각형 안에 조각을 놓는 선을 그어 보세요.

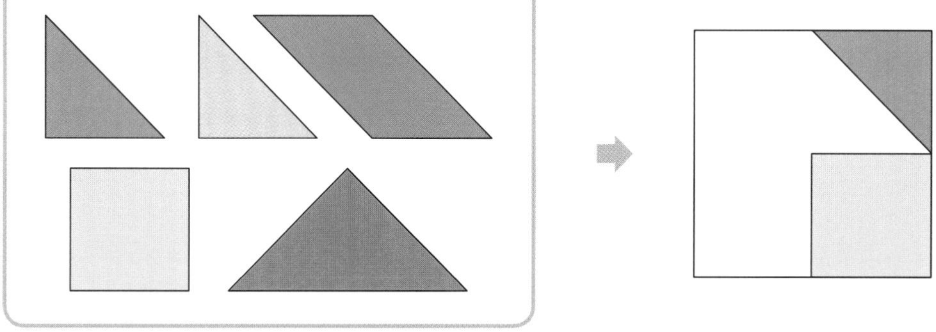

memo

하루 한 장 60일 집중 완성

교과도형

정답

초2

B1

여러 가지 도형

에듀히어로
Edu HERO

정 답

B1
여러 가지 도형

정답

1주차 원, 삼각형, 사각형

8쪽 · 9쪽

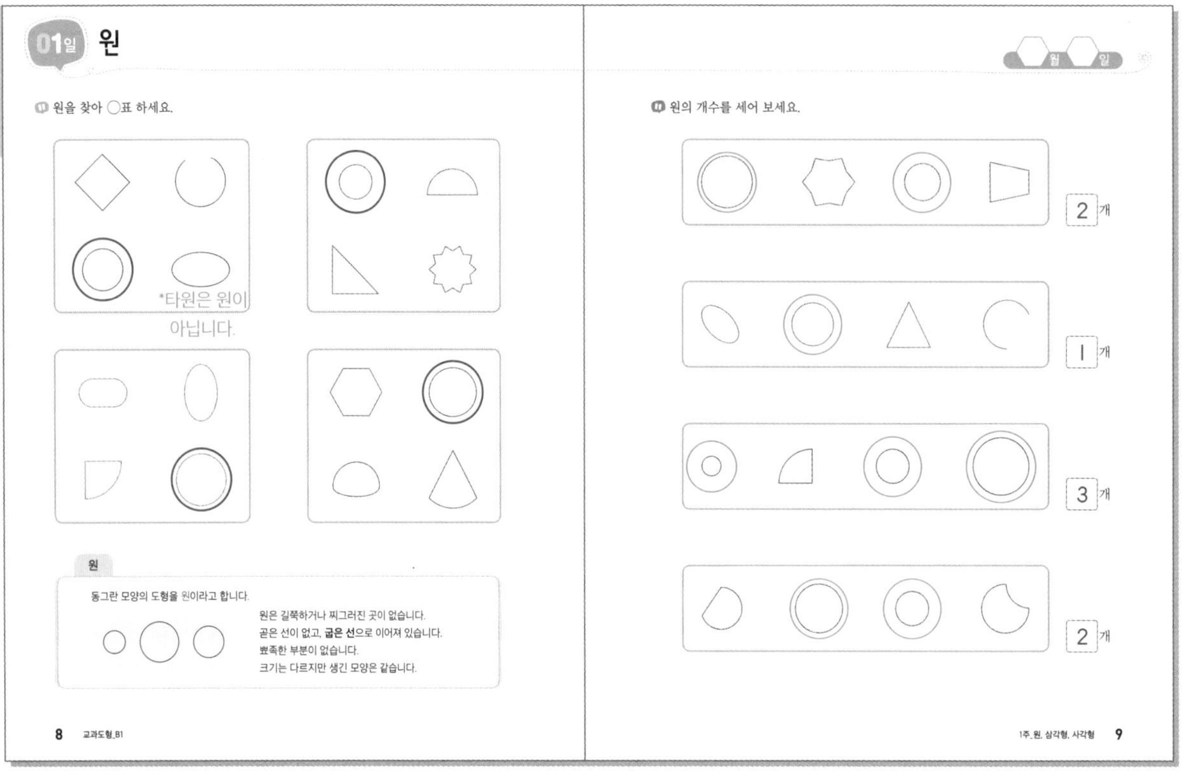
01일 원

월 일

1 원을 찾아 ○표 하세요.

*타원은 원이 아닙니다.

원

동그란 모양의 도형을 원이라고 합니다.

원은 길쭉하거나 찌그러진 곳이 없습니다.
곧은 선이 없고, **굽은 선**으로 이어져 있습니다.
뾰족한 부분이 없습니다.
크기는 다르지만 생긴 모양은 같습니다.

2 원의 개수를 세어 보세요.

2 개

1 개

3 개

2 개

8 교과도형_B1

1주. 원, 삼각형, 사각형 9

10쪽 · 11쪽

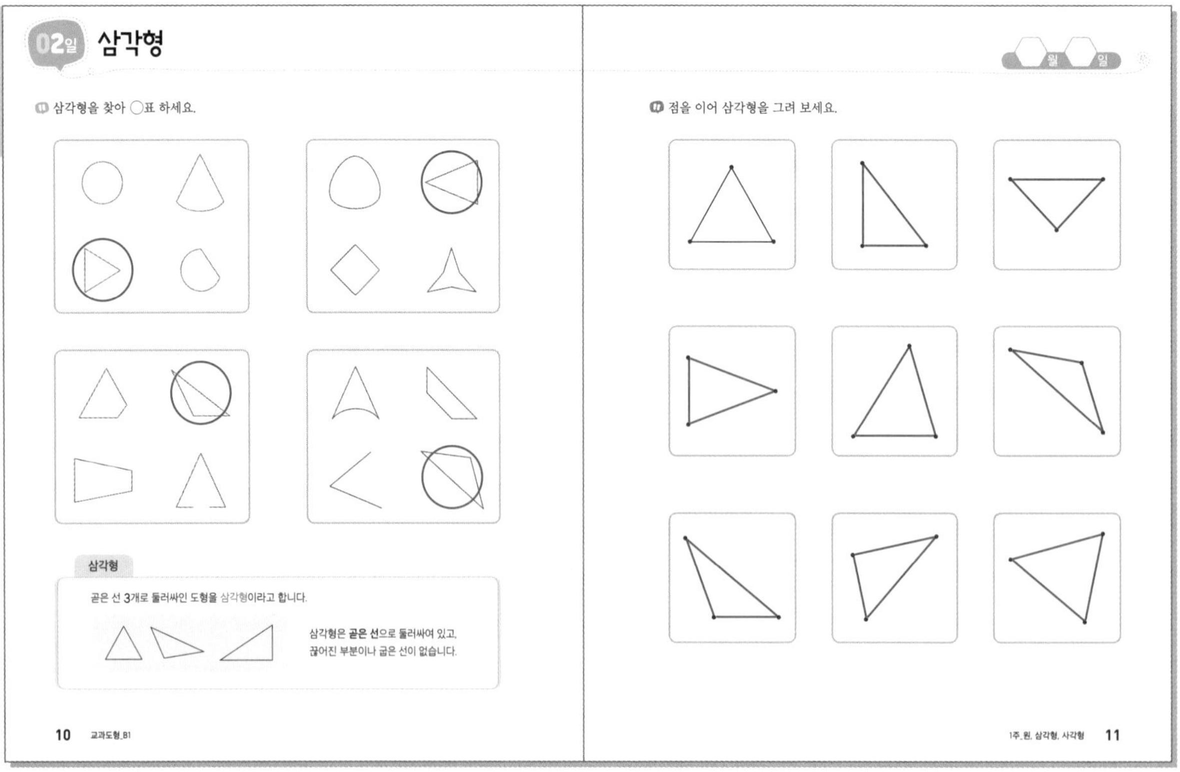
02일 삼각형

월 일

1 삼각형을 찾아 ○표 하세요.

삼각형

곧은 선 3개로 둘러싸인 도형을 삼각형이라고 합니다.

삼각형은 **곧은 선**으로 둘러싸여 있고,
끊어진 부분이나 굽은 선이 없습니다.

2 점을 이어 삼각형을 그려 보세요.

10 교과도형_B1

1주. 원, 삼각형, 사각형 11

12쪽 • 13쪽

03일 사각형

① 사각형을 찾아 ○표 하세요.

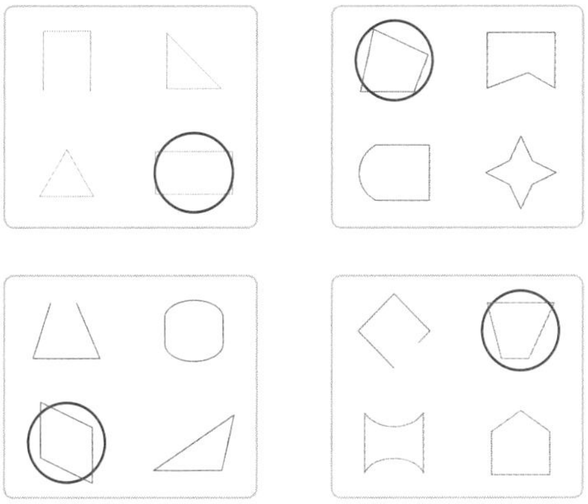

사각형

곧은 선 4개로 둘러싸인 도형을 사각형이라고 합니다.

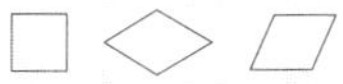

사각형은 곧은 선으로 둘러싸여 있고, 끊어진 부분이나 굽은 선이 없습니다.

② 점을 이어 사각형을 그려 보세요.

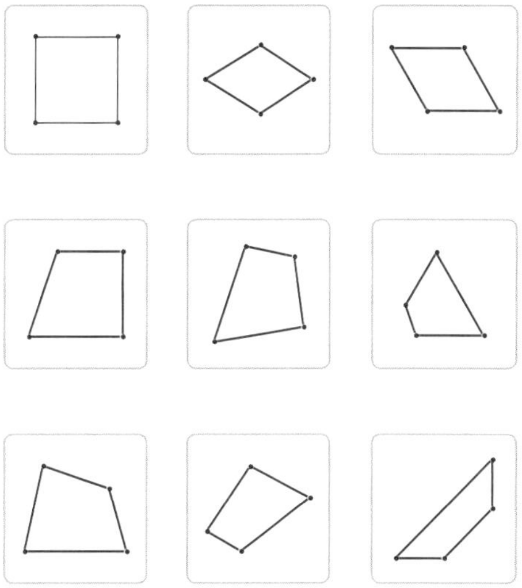

14쪽 • 15쪽

04일 변과 꼭짓점

① 변에 모두 ○표 하고, 도형의 이름을 써 보세요.

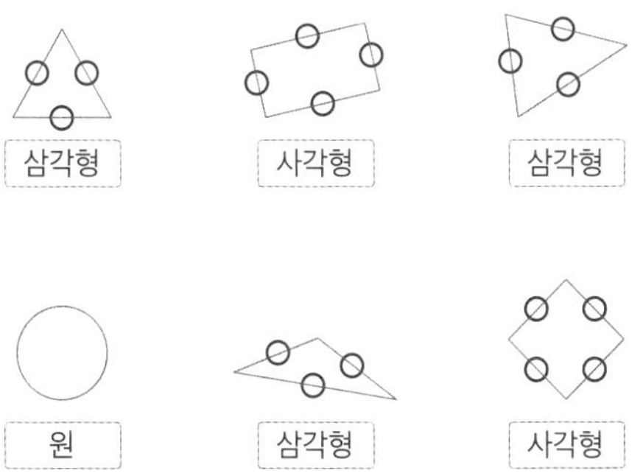

원은 변과 꼭짓점이 없습니다.

변과 꼭짓점

삼각형과 사각형에서 곧은 선을 변이라 하고, 두 곧은 선이 만나는 점을 꼭짓점이라고 합니다.

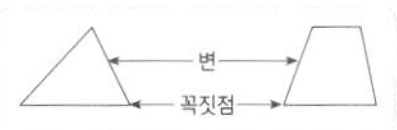

삼각형은 변이 3개, 꼭짓점이 3개입니다.
사각형은 변이 4개, 꼭짓점이 4개입니다.

② 꼭짓점에 모두 ○표 하고, 도형의 이름에 ○표 하세요.

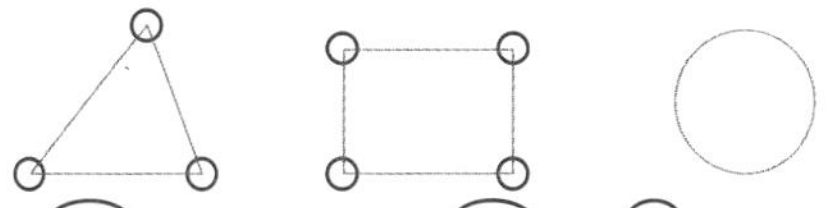

(원 , **삼각형** , 사각형) (원 , 삼각형 , **사각형**) (**원** , 삼각형 , 사각형)

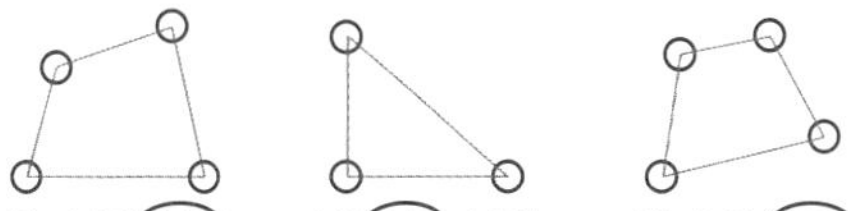

(원 , 삼각형 , **사각형**) (원 , **삼각형** , 사각형) (원 , 삼각형 , **사각형**)

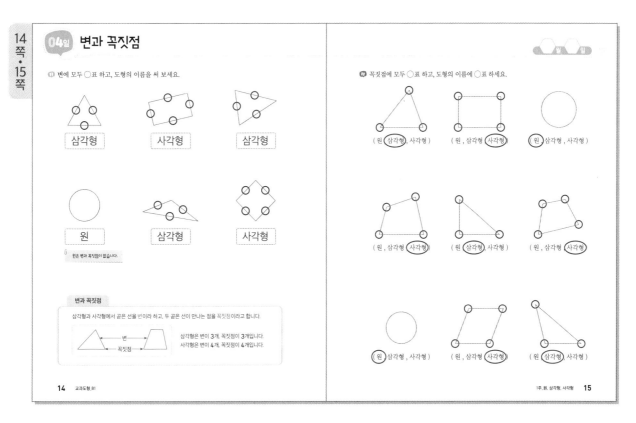

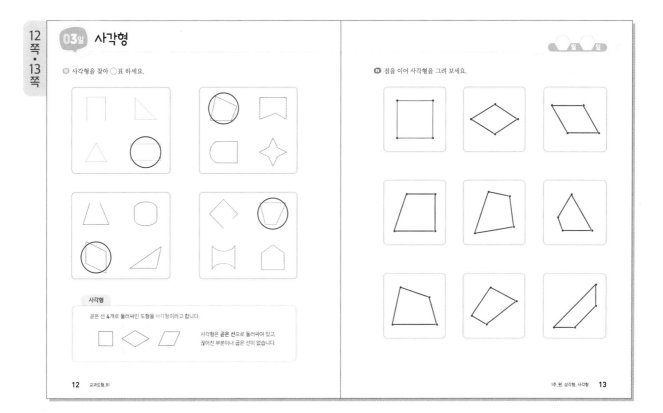

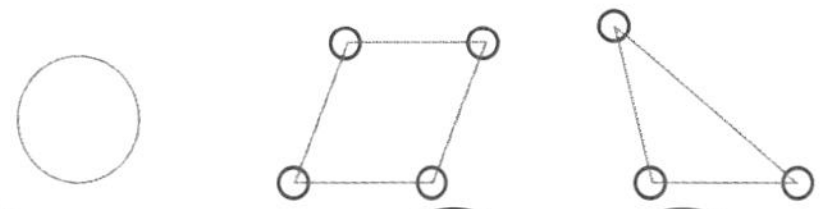

(**원** , 삼각형 , 사각형) (원 , 삼각형 , **사각형**) (원 , **삼각형** , 사각형)

정답

16쪽·17쪽

05일 도형의 특징

⑪ 알맞은 말에 ○표 하고, 빈칸에 알맞은 수를 써넣으세요.

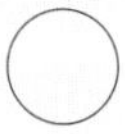

- 원은 (곧은 선 , (굽은 선))으로 이어져 있습니다.
- 원은 뾰족한 부분이 (있습니다 , (없습니다))
- 원은 끊어진 부분이 (있습니다 , (없습니다))

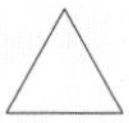

- 삼각형은 ((곧은 선) , 굽은 선)으로 둘러싸여 있습니다.
- 삼각형은 꼭짓점이 [3]개입니다.
- 삼각형은 변이 [3]개입니다.

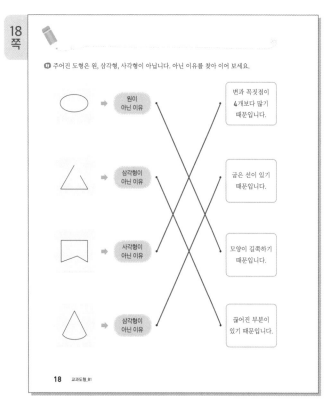

- 사각형은 뾰족한 부분이 ((있습니다) , 없습니다).
- 사각형은 꼭짓점이 [4]개입니다.
- 사각형은 변이 [4]개입니다.

⑫ 옳은 말에는 ○표, 틀린 말에는 ×표 하세요.

- 원은 어느쪽에서 보아도 똑같은 동그란 모양입니다. (○)

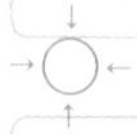

- 굽은 선이 있는 사각형도 있습니다. (×)

곧은 선 4개로 둘러싸인 도형을 사각형이라고 합니다.

- 굽은 선으로 이어져 있는 길쭉한 원도 있습니다. (×)

타원은 원이 아닙니다.

- 사각형은 삼각형보다 꼭짓점이 1개 더 많습니다. (○)

4개 3개

- 삼각형은 꼭짓점의 수와 변의 수가 다릅니다. (×)

3개 = 3개

- 사각형의 꼭짓점과 변의 수를 더하면 8입니다. (○)

4개 4개

4 + 4 = 8

18쪽

⑬ 주어진 도형은 원, 삼각형, 사각형이 아닙니다. 아닌 이유를 찾아 이어 보세요.

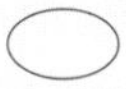

원이 아닌 이유 — 모양이 길쭉하기 때문입니다.

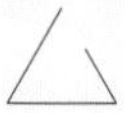

삼각형이 아닌 이유 — 끊어진 부분이 있기 때문입니다.

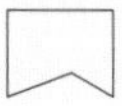

사각형이 아닌 이유 — 변과 꼭짓점이 4개보다 많기 때문입니다.

삼각형이 아닌 이유 — 굽은 선이 있기 때문입니다.

2주차 도형 그리기와 개수

20쪽 · 21쪽

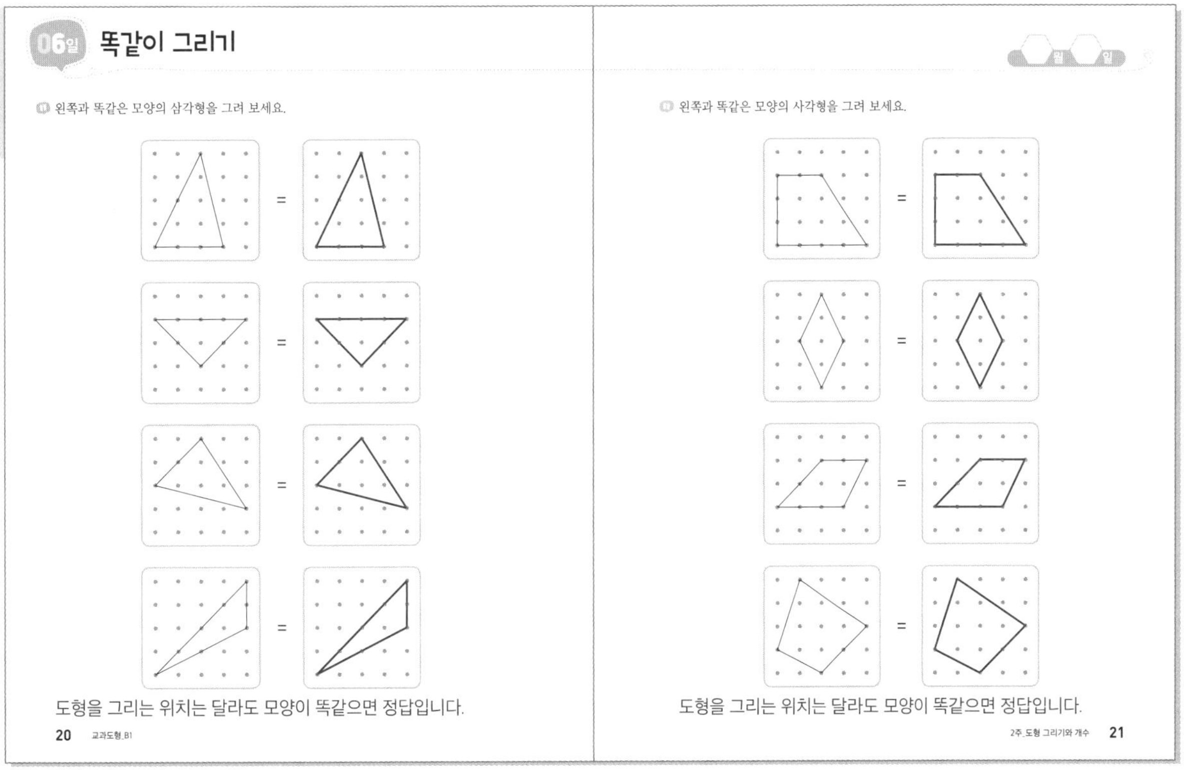
06일 똑같이 그리기

월 일

① 왼쪽과 똑같은 모양의 삼각형을 그려 보세요.

도형을 그리는 위치는 달라도 모양이 똑같으면 정답입니다.

20 교과도형_B1

① 왼쪽과 똑같은 모양의 사각형을 그려 보세요.

도형을 그리는 위치는 달라도 모양이 똑같으면 정답입니다.

2주_도형 그리기와 개수 21

22쪽 · 23쪽

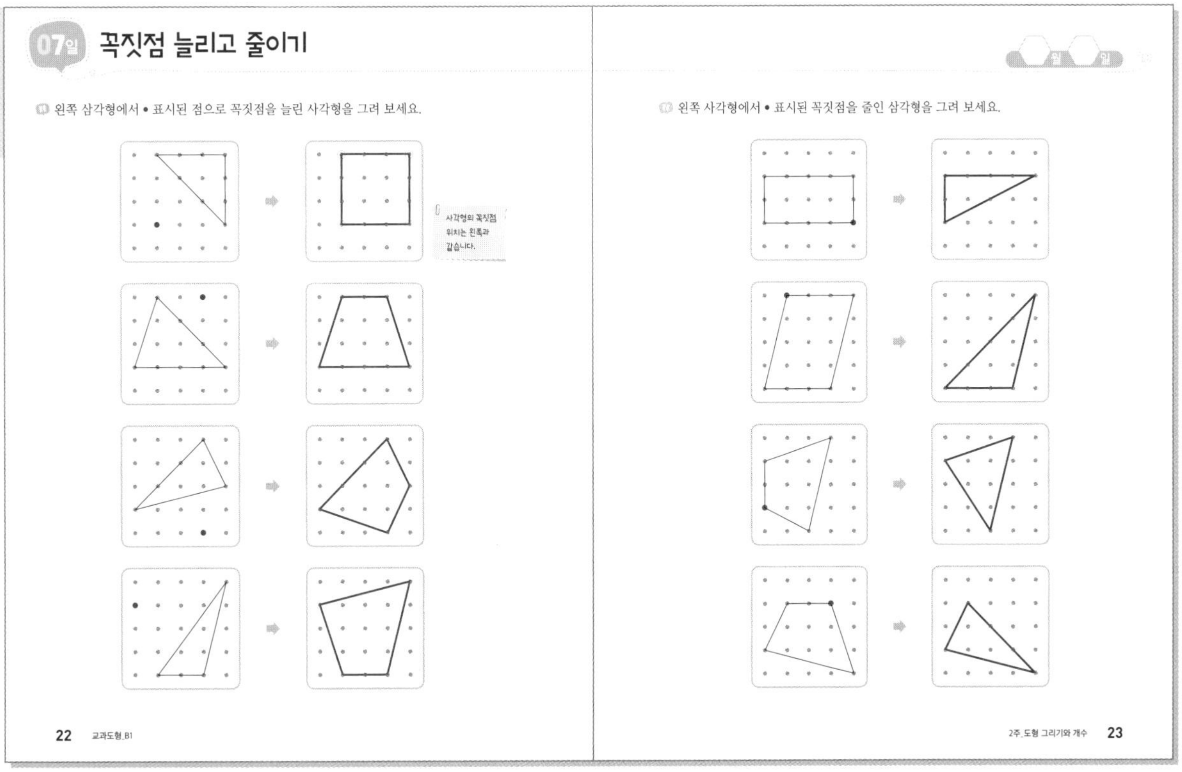
07일 꼭짓점 늘리고 줄이기

월 일

① 왼쪽 삼각형에서 • 표시된 점으로 꼭짓점을 늘린 사각형을 그려 보세요.

22 교과도형_B1

① 왼쪽 사각형에서 • 표시된 꼭짓점을 줄인 삼각형을 그려 보세요.

2주_도형 그리기와 개수 23

정답

24쪽 · 25쪽

08일 조건에 맞게 그리기

⑪ 점을 이어 주어진 곧은 선을 변으로 하는 여러 가지 삼각형과 사각형을 그려 보세요.

삼각형 　 사각형

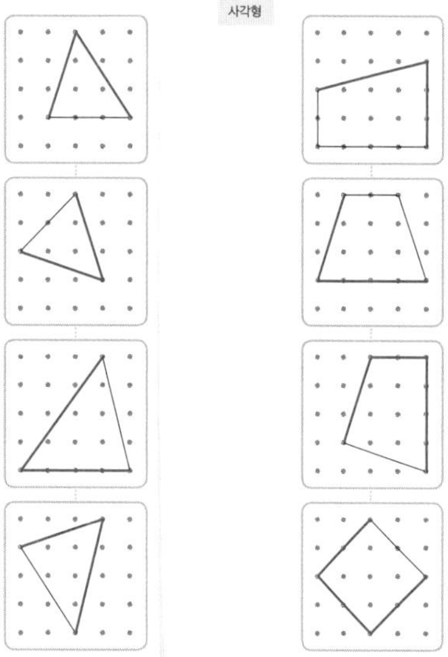

주어진 선에서 곧은 선 2개 또는 3개를 이어 삼각형과 사각형을 그리면 정답입니다.

월 일

⑫ 점을 이어 조건에 맞는 여러 가지 삼각형과 사각형을 그려 보세요.

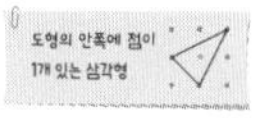

변 위에 있는 점은 도형 안쪽에 있는 점으로 보지 않습니다. 자를 대고 그리면 정확하게 그릴 수 있습니다.

조건에 맞게 도형의 안쪽에 점이 있는 삼각형과 사각형을 그리면 정답입니다.

26쪽 · 27쪽

09일 자른 도형의 개수

⑪ 색종이를 점선을 따라 자를 때 나오는 도형의 이름과 개수를 써 보세요.

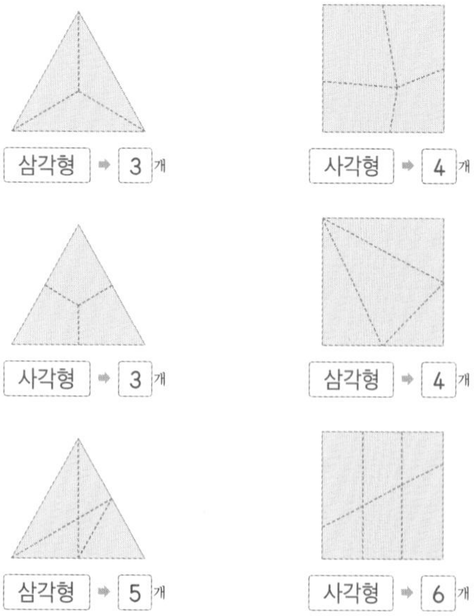

삼각형 ➡ 3 개 　 사각형 ➡ 4 개

사각형 ➡ 3 개 　 삼각형 ➡ 4 개

삼각형 ➡ 5 개 　 사각형 ➡ 6 개

월 일

⑫ 색종이를 점선을 따라 자를 때 나오는 도형의 이름과 개수를 모두 써 보세요.

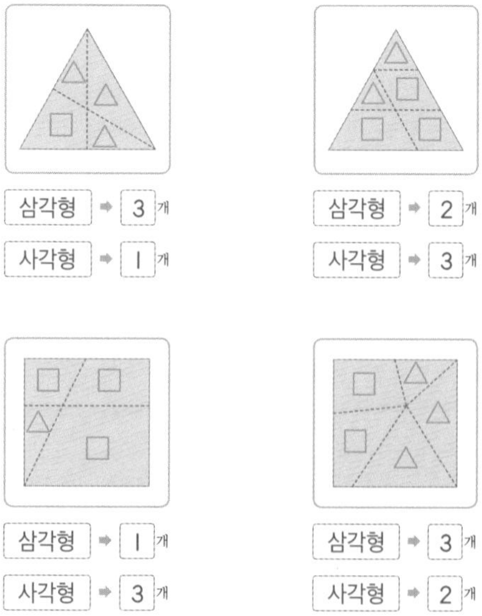

삼각형 ➡ 3 개, 사각형 ➡ 1 개 　 삼각형 ➡ 2 개, 사각형 ➡ 3 개

삼각형 ➡ 1 개, 사각형 ➡ 3 개 　 삼각형 ➡ 3 개, 사각형 ➡ 2 개

10일 크고 작은 도형의 개수

⑪ 크고 작은 삼각형의 개수를 구해 보세요.

	1칸짜리: 1개
	2칸짜리: 1개
	3칸짜리: 1개
	3 개

	1칸짜리: 3개
	2칸짜리: 2개
	3칸짜리: 1개
	6 개

	1칸짜리: 4개
	4칸짜리: 1개
	5 개

	1칸짜리: 9개
	4칸짜리: 3개
	9칸짜리: 1개
	13 개

크고 작은 도형 찾기

선을 따라 그릴 수 있는 크고 작은 도형을 찾을 때는 큰 도형 안에 포함된 작은 도형의 개수에 따라 구분하면서 빠짐 없이 찾습니다.

1칸짜리: 3개   2칸짜리: 1개   3칸짜리: 1개

찾을 수 있는 사각형은 모두 3+1+1=5(개)입니다.

⑩ 크고 작은 사각형의 개수를 구해 보세요.

	1칸짜리: 2개
	2칸짜리: 1개
	3 개

	1칸짜리: 3개
	2칸짜리: 2개
	3칸짜리: 1개
	6 개

	1칸짜리: 4개
	2칸짜리: 4개
	4칸짜리: 1개
	9 개

	1칸짜리: 3개
	2칸짜리: 1개
	3칸짜리: 1개
	5 개

	1칸짜리: 4개
	2칸짜리: 2개
	3칸짜리: 1개
	4칸짜리: 1개
	8 개

	1칸짜리: 4개
	2칸짜리: 1개
	3칸짜리: 1개
	4칸짜리: 1개
	7 개

⑩ 크고 작은 사각형의 개수를 구해 보세요.

	1칸짜리: 3개
	2칸짜리: 2개
	5 개

	1칸짜리: 4개
	2칸짜리: 3개
	7 개

	1칸짜리: 4개
	2칸짜리: 3개
	3칸짜리: 1개
	8 개

	1칸짜리: 4개
	2칸짜리: 3개
	3칸짜리: 1개
	8 개

	1칸짜리: 4개
	2칸짜리: 3개
	3칸짜리: 2개
	4칸짜리: 1개
	10 개

	1칸짜리: 5개
	2칸짜리: 4개
	3칸짜리: 2개
	11 개

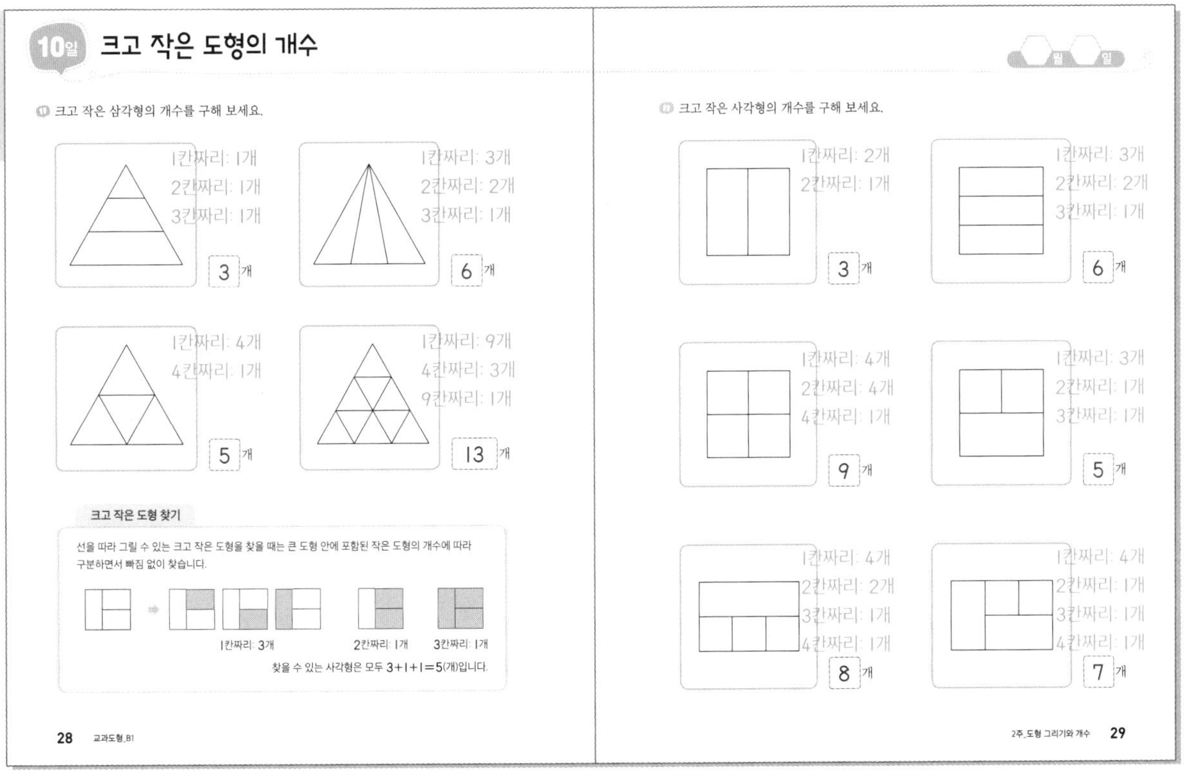

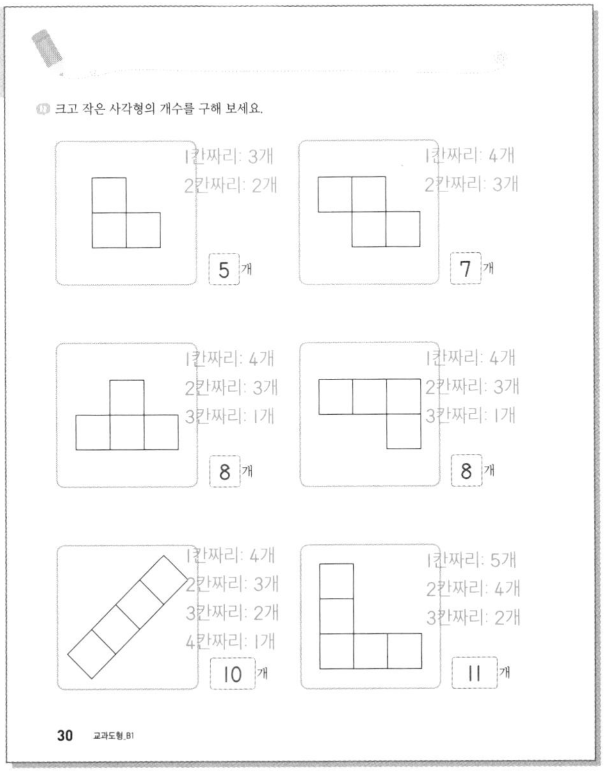

정답

3주차 오각형, 육각형

32쪽 · 33쪽

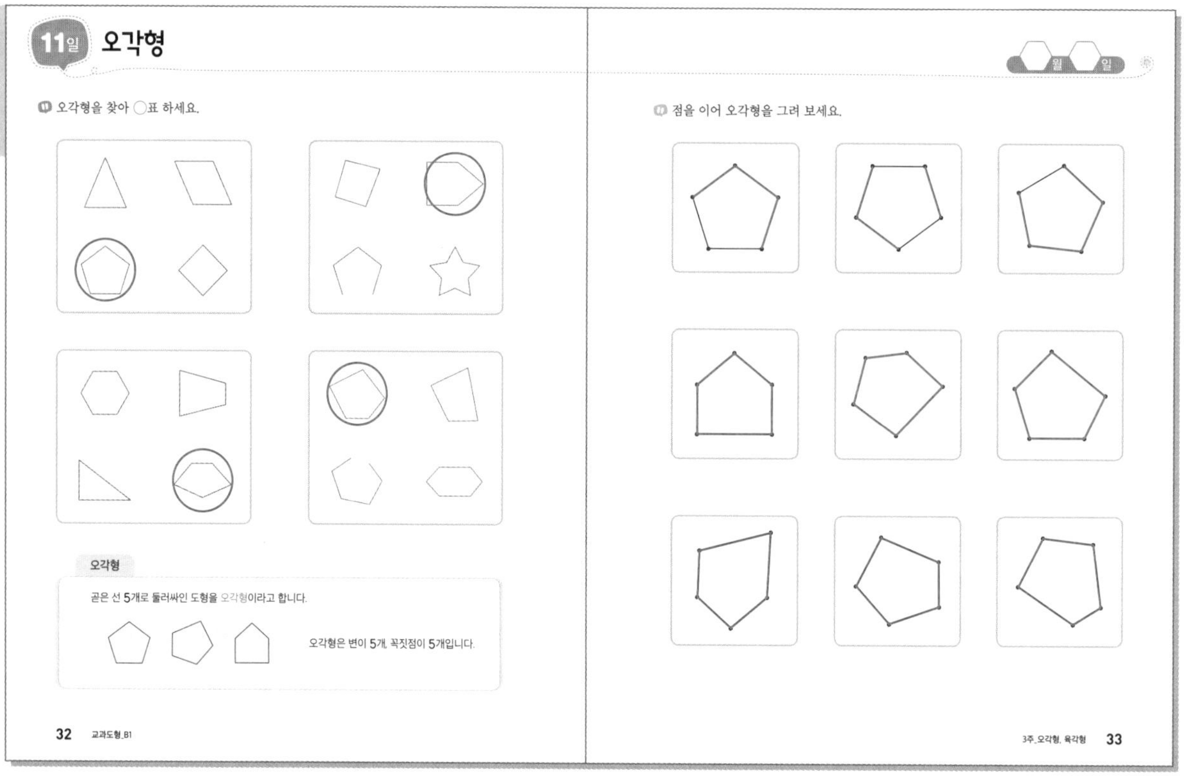

11일 오각형

월 일

오각형을 찾아 ○표 하세요.

점을 이어 오각형을 그려 보세요.

오각형

곧은 선 5개로 둘러싸인 도형을 오각형이라고 합니다.

오각형은 변이 5개, 꼭짓점이 5개입니다.

32 교과도형_B1

3주_오각형, 육각형 33

34쪽 · 35쪽

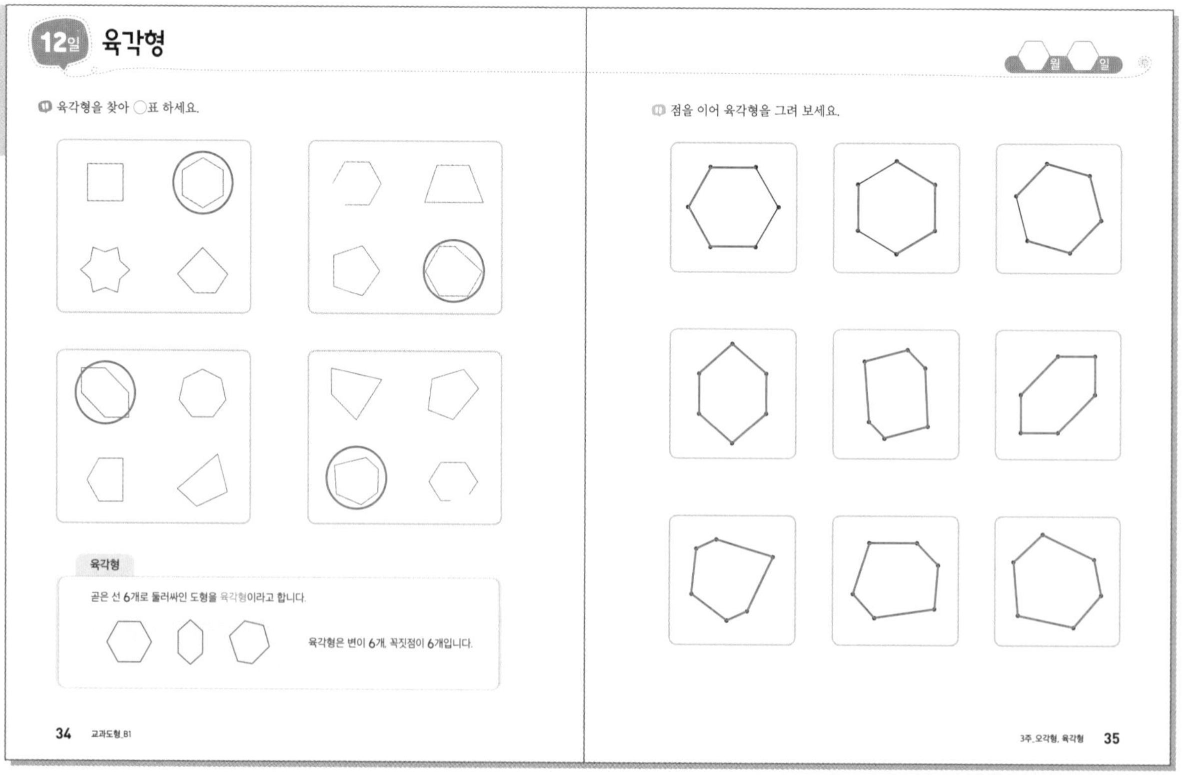

12일 육각형

월 일

육각형을 찾아 ○표 하세요.

점을 이어 육각형을 그려 보세요.

육각형

곧은 선 6개로 둘러싸인 도형을 육각형이라고 합니다.

육각형은 변이 6개, 꼭짓점이 6개입니다.

34 교과도형_B1

3주_오각형, 육각형 35

36쪽 • 37쪽

13일 꼭짓점 늘리기

월 일

11 왼쪽 사각형에서 • 표시된 점으로 꼭짓점을 늘린 오각형을 그려 보세요.

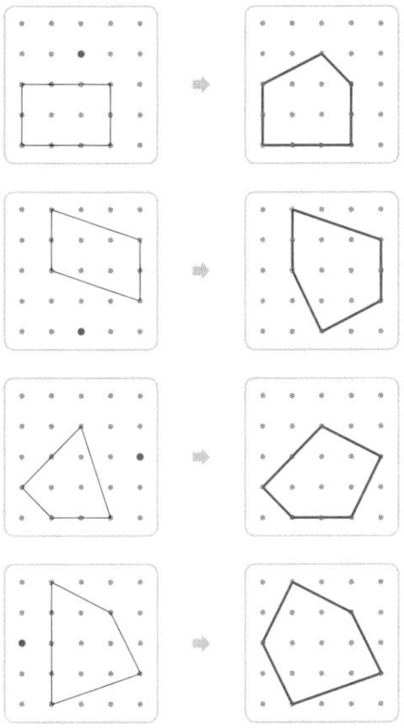

12 왼쪽 오각형에서 • 표시된 점으로 꼭짓점을 늘린 육각형을 그려 보세요.

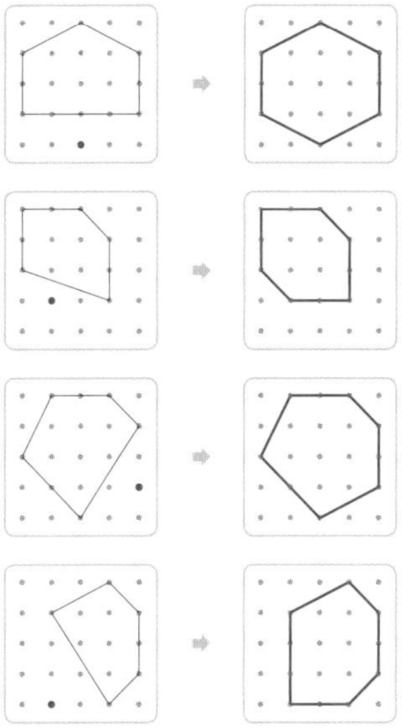

38쪽 • 39쪽

14일 도형의 특징

월 일

11 도형을 보고 표를 완성해 보세요.

도형		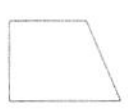		
변의 수	3	4	5	6
꼭짓점의 수	3	4	5	6
도형의 이름	삼각형	사각형	오각형	육각형

도형	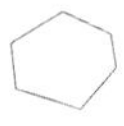			
변의 수	6	4	3	5
꼭짓점의 수	6	4	3	5
도형의 이름	육각형	사각형	삼각형	오각형

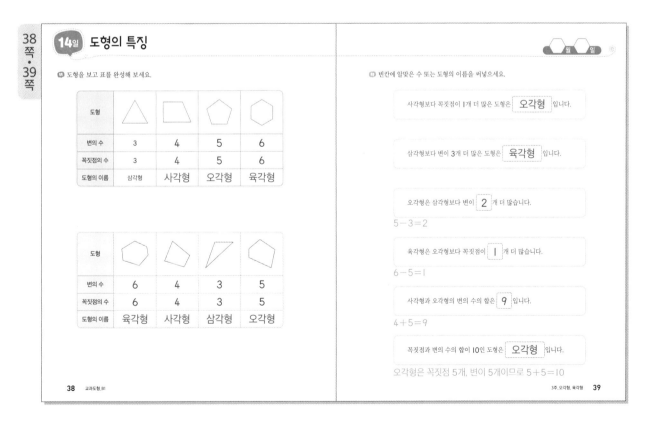

12 빈칸에 알맞은 수 또는 도형의 이름을 써넣으세요.

사각형보다 꼭짓점이 1개 더 많은 도형은 오각형 입니다.

삼각형보다 변이 3개 더 많은 도형은 육각형 입니다.

오각형은 삼각형보다 변이 2 개 더 많습니다.

5－3＝2

육각형은 오각형보다 꼭짓점이 1 개 더 많습니다.

6－5＝1

사각형과 오각형의 변의 수의 합은 9 입니다.

4＋5＝9

꼭짓점과 변의 수의 합이 10인 도형은 오각형 입니다.

오각형은 꼭짓점 5개, 변이 5개이므로 5＋5＝10

정답

40쪽·41쪽

15일 여러 가지 도형

월 일

◐ 물음에 답하세요.

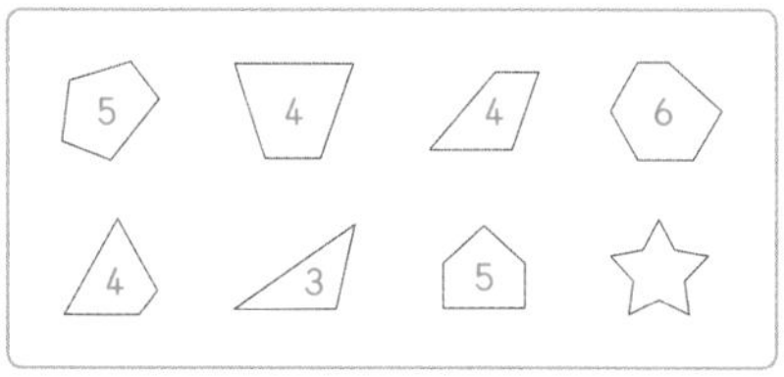

변이 4개인 도형은 모두 몇 개일까요? 3 개

변이 4개인 도형은 사각형입니다.

꼭짓점이 5개인 도형은 모두 몇 개일까요? 2 개

꼭짓점이 5개인 도형은 오각형입니다.

변이 6개인 도형은 모두 몇 개일까요? 1 개

변이 6개인 도형은 육각형입니다.

◐ 물음에 답하세요.

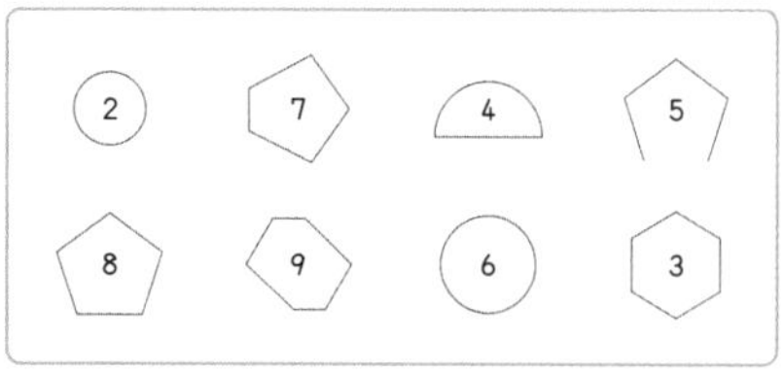

원 안에 있는 수의 합은 얼마일까요? (8)

2+6=8

오각형 안에 있는 수의 합은 얼마일까요? (15)

7+8=15

육각형 안에 있는 수의 합은 얼마일까요? (12)

9+3=12

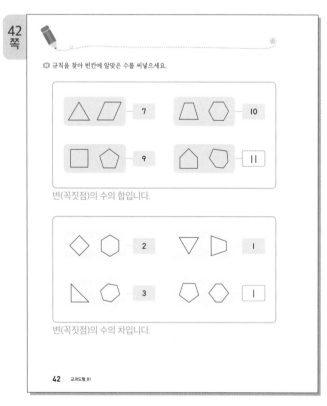

42쪽

◐ 규칙을 찾아 빈칸에 알맞은 수를 써넣으세요.

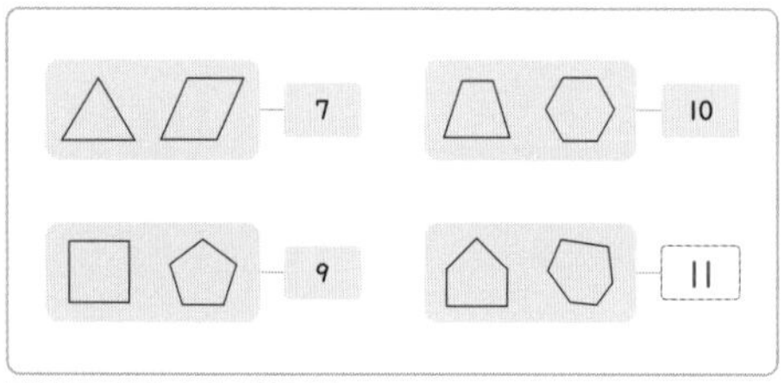

변(꼭짓점)의 수의 합입니다.

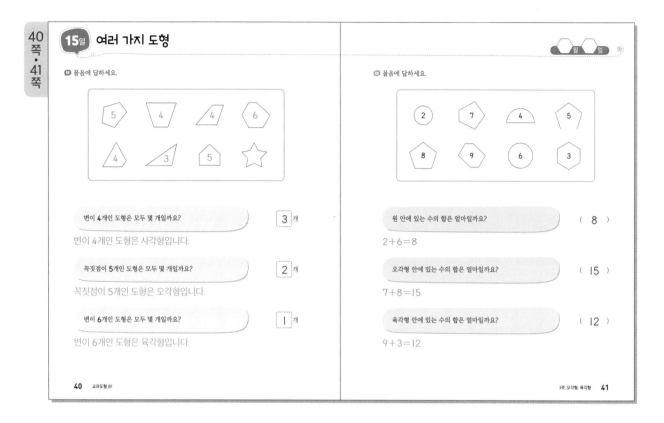

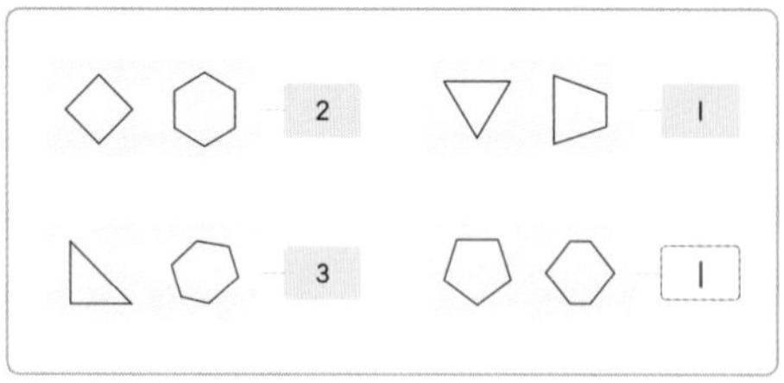

변(꼭짓점)의 수의 차입니다.

4주차 칠교판

44쪽·45쪽

16일 칠교판 조각

① 칠교판 조각을 보고 빈칸에 알맞은 수를 써넣으세요.

칠교판은 삼각형과 사각형 7조각으로 이루어진 퍼즐입니다.

칠교판 조각에는 삼각형이 5 개 있습니다.

칠교판 조각에는 사각형이 2 개 있습니다.

삼각형 중에서는 작은 삼각형 2 개, 중간 크기의 삼각형 1 개, 큰 삼각형 2 개가 있습니다.

칠교판

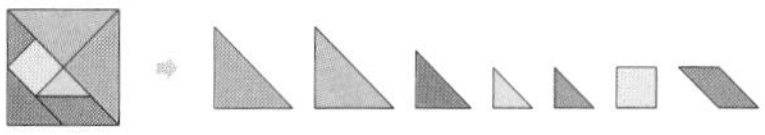

② 왼쪽 한 조각으로 채울 수 있는 모양을 찾아 이어 보세요.

삼각형 조각의 크기가 다릅니다.

46쪽·47쪽

17일 큰 조각 만들기

① 칠교판의 작은 조각을 이용하여 큰 조각을 만듭니다. 큰 조각 안에 작은 조각을 놓는 선을 그어 보세요.

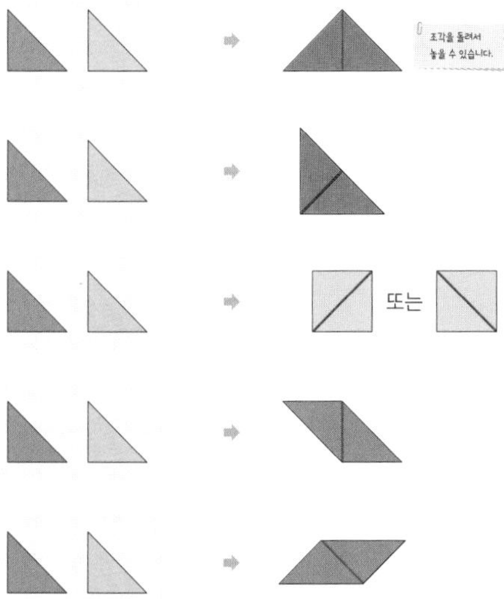

조각을 돌려서 놓을 수 있습니다.

② 칠교판의 작은 조각을 이용하여 큰 조각을 만듭니다. 큰 조각 안에 작은 조각을 놓는 선을 그어 보세요.

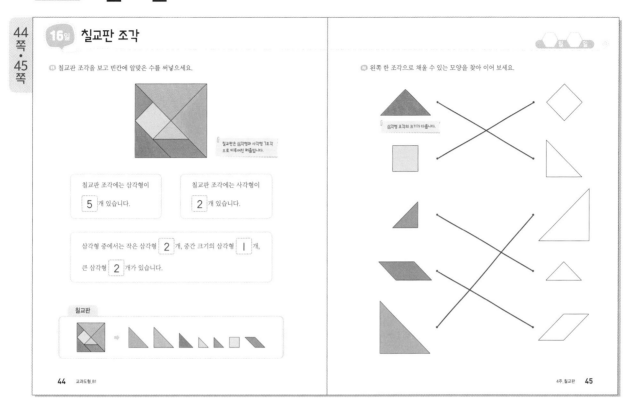

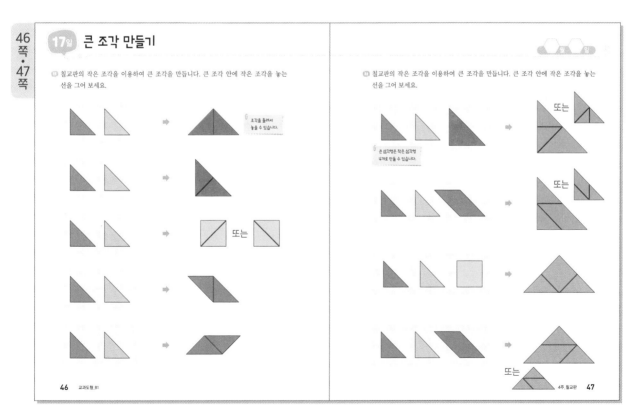

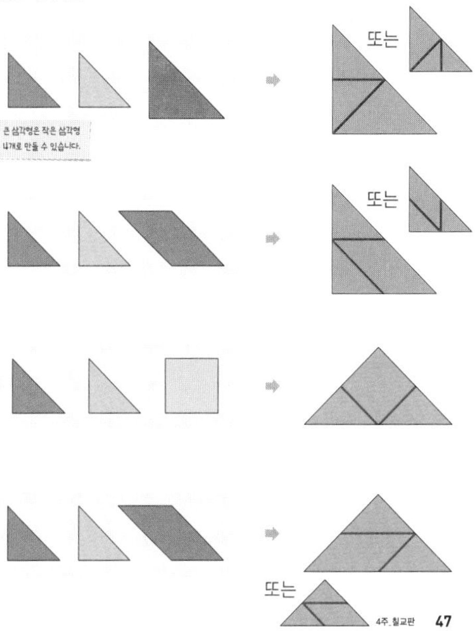

큰 삼각형은 작은 삼각형 4개로 만들 수 있습니다.

정답

48쪽·49쪽

18일 삼각형과 사각형

주어진 조각으로 삼각형을 만듭니다. 삼각형 안에 조각을 놓는 선을 그어 보세요.

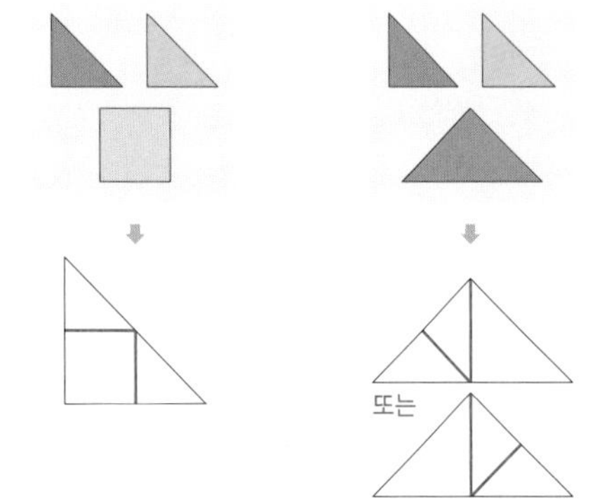

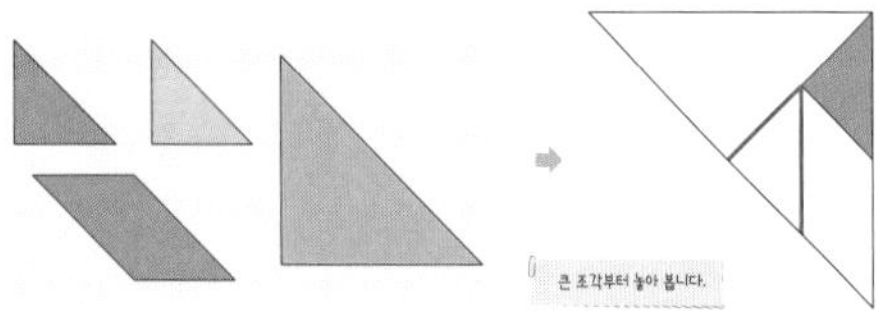

48 교과도형_B1

주어진 조각으로 사각형을 만듭니다. 사각형 안에 조각을 놓는 선을 그어 보세요.

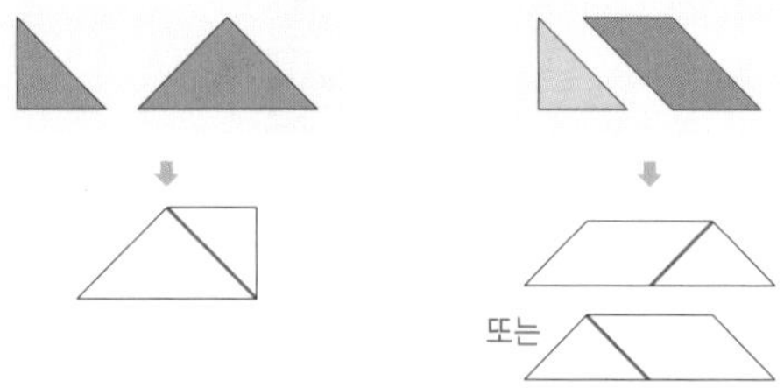

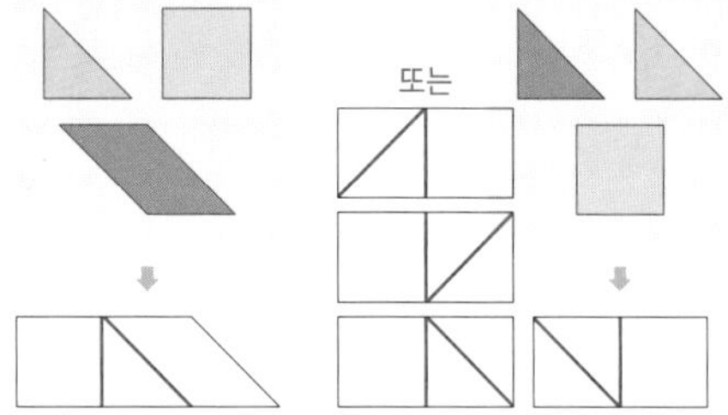

4주_칠교판 49

50쪽·51쪽

19일 오각형과 육각형

주어진 조각으로 오각형을 만듭니다. 오각형 안에 조각을 놓는 선을 그어 보세요.

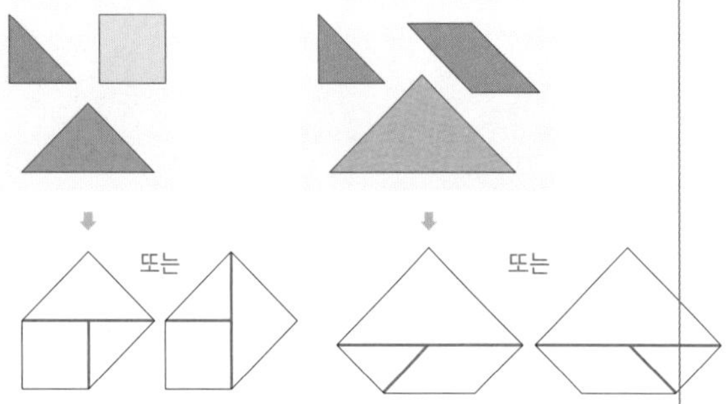

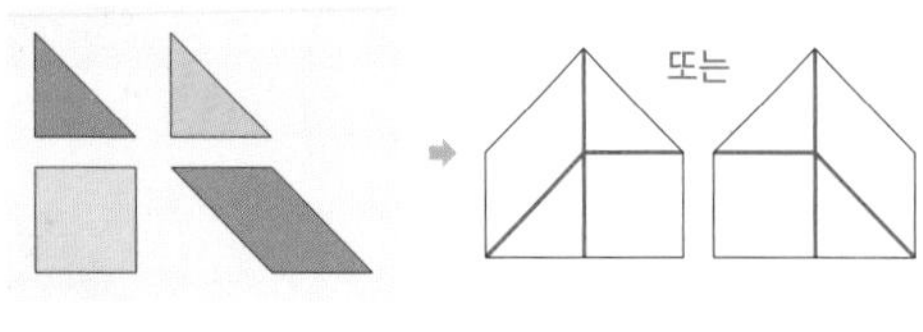

50 교과도형_B1

주어진 조각으로 육각형을 만듭니다. 육각형 안에 조각을 놓는 선을 그어 보세요.

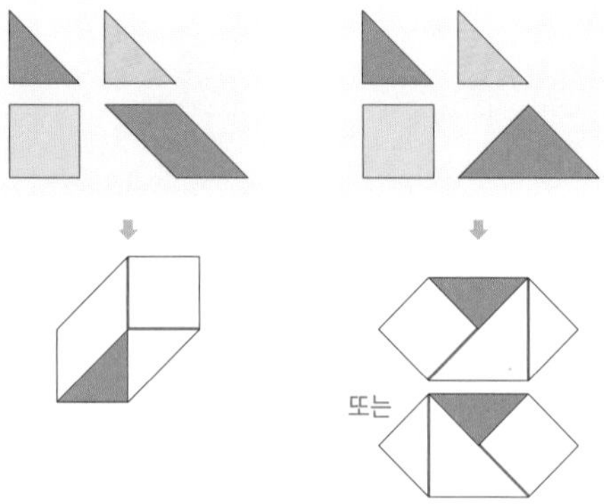

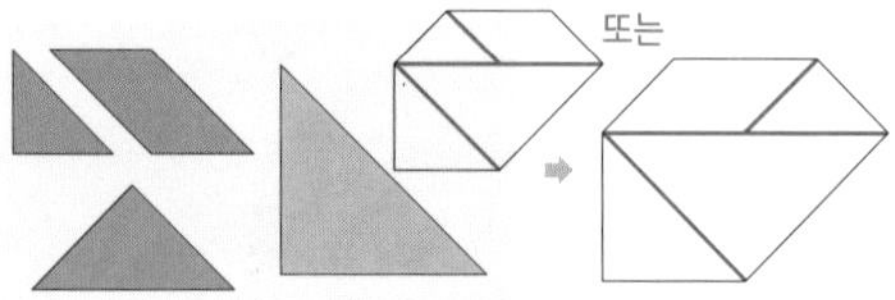

4주_칠교판 51

52쪽·53쪽

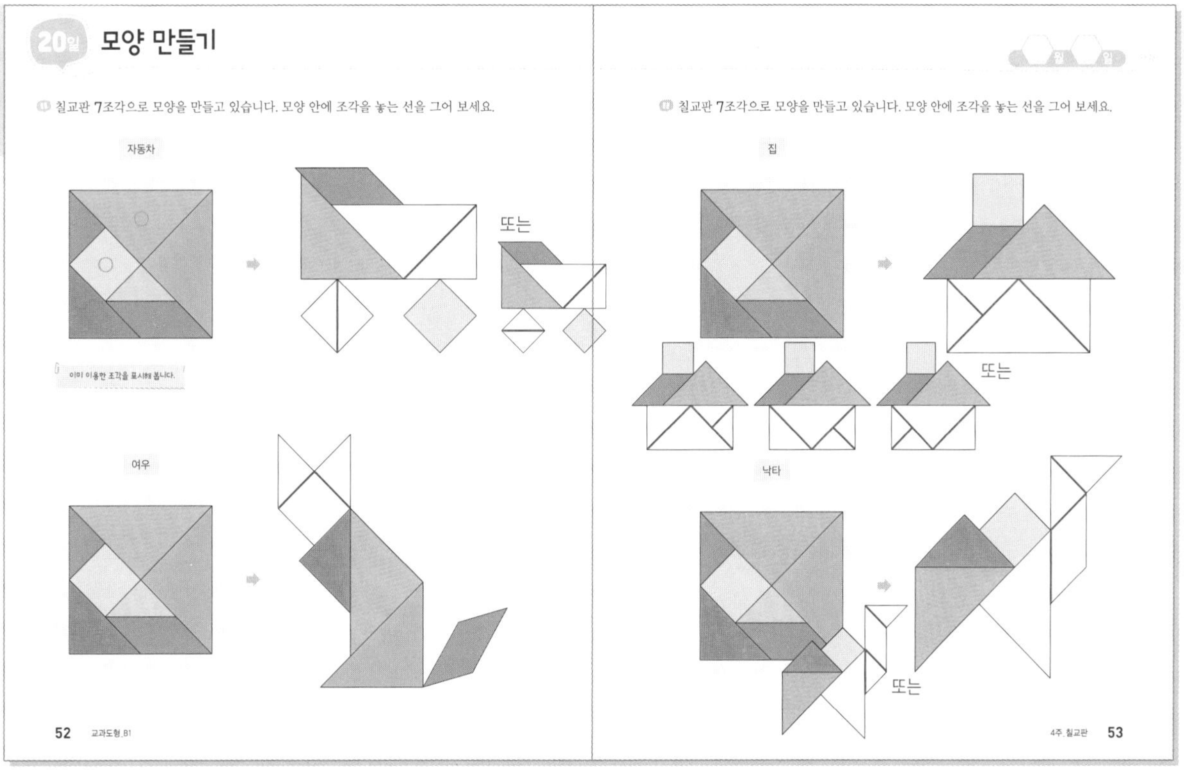
20일 모양 만들기

칠교판 7조각으로 모양을 만들고 있습니다. 모양 안에 조각을 놓는 선을 그어 보세요.

54쪽

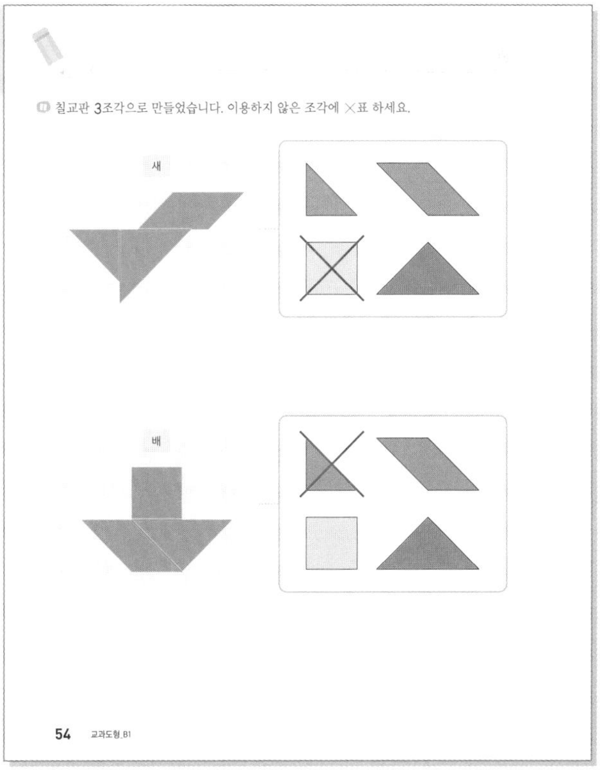
칠교판 3조각으로 만들었습니다. 이용하지 않은 조각에 ×표 하세요.

칠교판은 조각을 직접 맞추어 보면서 각 조각의 길이, 크기 감각을 익히는 것이 중요합니다.
아래에 있는 칠교판을 잘라 직접 맞추어 보며 문제를 풀면 공간감각의 기초를 다지는 데 도움이 됩니다.

※ 칠교판 조각을 가위로 잘라서 이용하세요.

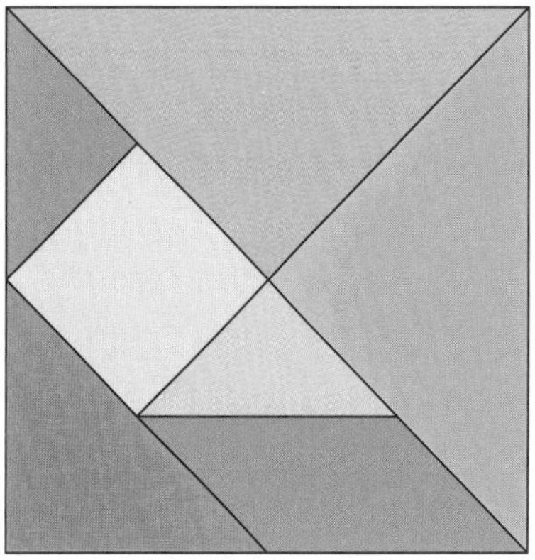

정답

도형플러스+ 종이 자르기

56쪽 · 57쪽

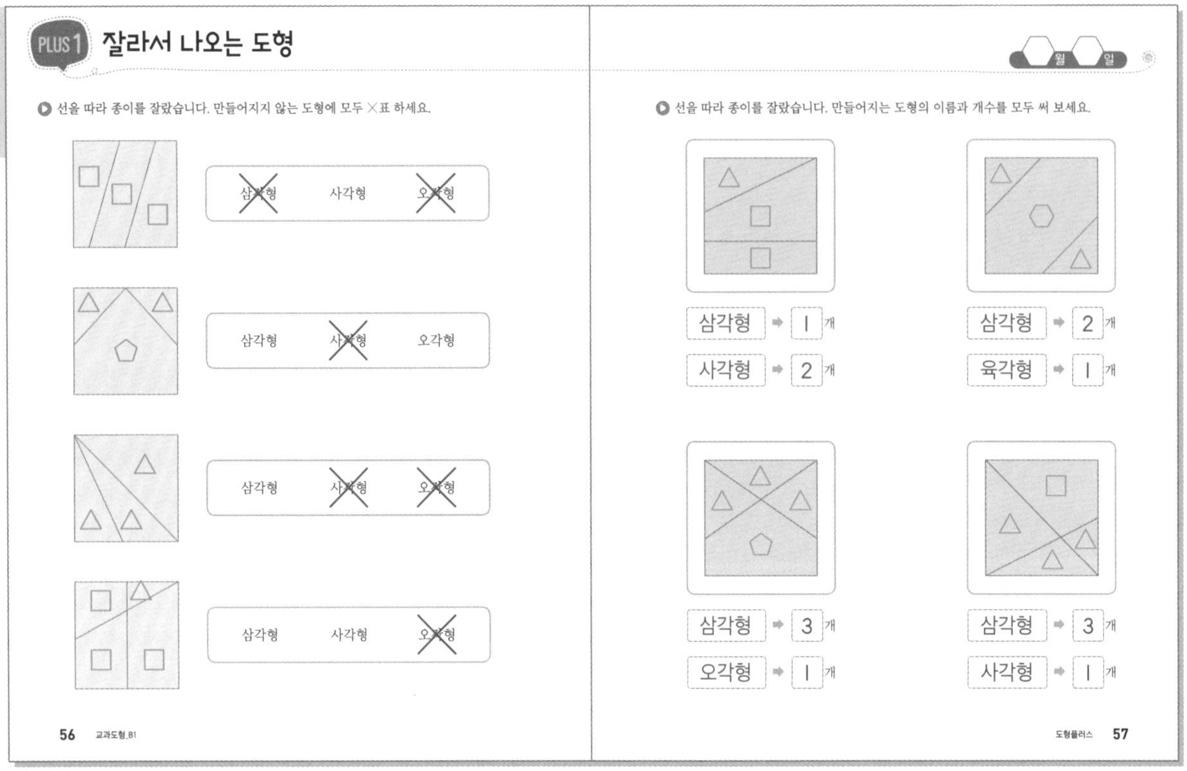

PLUS 1 잘라서 나오는 도형

월 일

선을 따라 종이를 잘랐습니다. 만들어지지 않는 도형에 모두 ×표 하세요.

~~삼각형~~ (×)	사각형	~~오각형~~ (×)
삼각형	~~사각형~~ (×)	오각형
삼각형	~~사각형~~ (×)	~~오각형~~ (×)
삼각형	사각형	~~오각형~~ (×)

선을 따라 종이를 잘랐습니다. 만들어지는 도형의 이름과 개수를 모두 써 보세요.

삼각형 ➡ 1 개
사각형 ➡ 2 개

삼각형 ➡ 2 개
육각형 ➡ 1 개

삼각형 ➡ 3 개
오각형 ➡ 1 개

삼각형 ➡ 3 개
사각형 ➡ 1 개

56 교과도형_B1

도형플러스 57

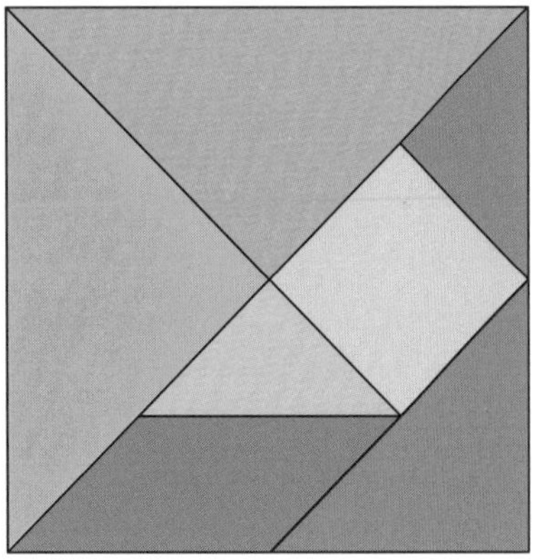

[칠교판의 활용]

자른 조각을 직접 맞추면서 문제를 해결하면 공간감각의 기초를 다지는 데 도움이 됩니다.

칠교판에 익숙해지면 16~18일차는 조각을 직접 맞추어 보면서 문제를 풀고, 19~20일차는 조각을 이용하지 않고 문제를 풀어 보는 것도 양감(길이나 크기 등을 가늠하는 감각) 형성에 도움이 될 수 있습니다.

58쪽·59쪽

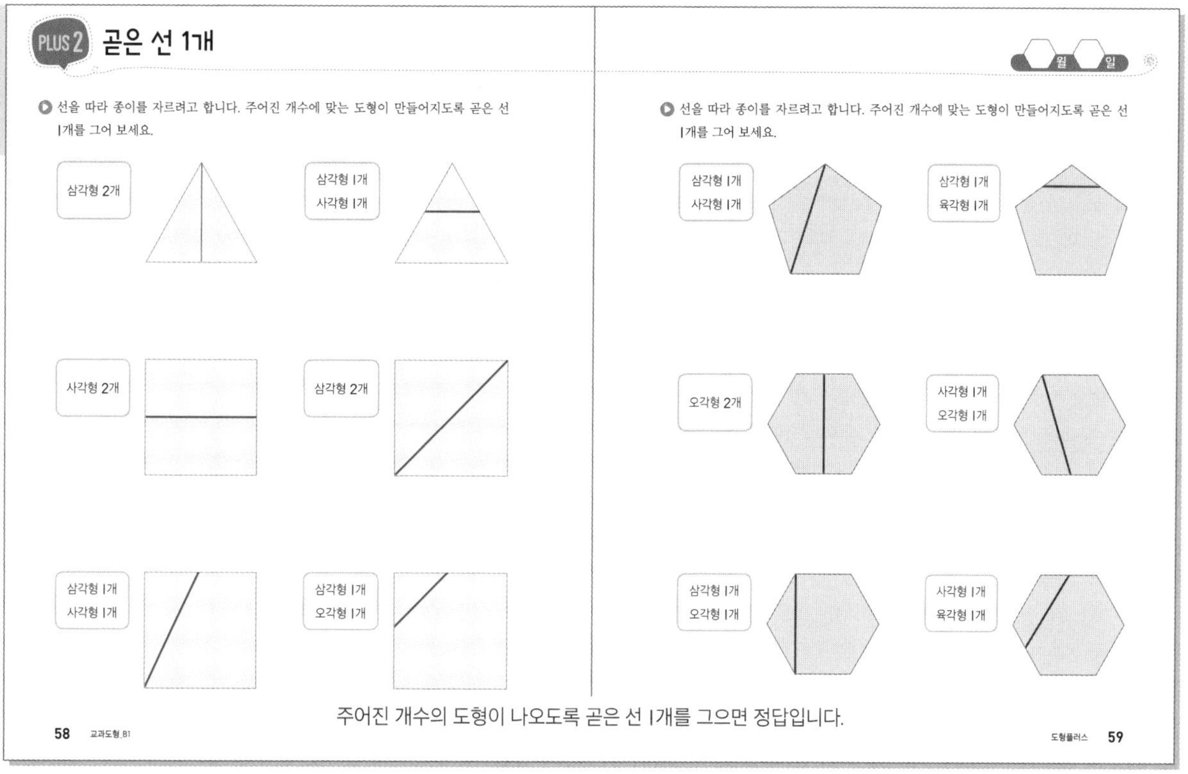

PLUS 2 곧은 선 1개

월 일

▶ 선을 따라 종이를 자르려고 합니다. 주어진 개수에 맞는 도형이 만들어지도록 곧은 선 1개를 그어 보세요.

삼각형 2개

삼각형 1개 사각형 1개

사각형 2개

삼각형 2개

삼각형 1개 사각형 1개

삼각형 1개 오각형 1개

▶ 선을 따라 종이를 자르려고 합니다. 주어진 개수에 맞는 도형이 만들어지도록 곧은 선 1개를 그어 보세요.

삼각형 1개 사각형 1개

삼각형 1개 육각형 1개

오각형 2개

사각형 1개 오각형 1개

삼각형 1개 오각형 1개

사각형 1개 육각형 1개

주어진 개수의 도형이 나오도록 곧은 선 1개를 그으면 정답입니다.

58 교과도형_B1

도형플러스 59

60쪽·61쪽

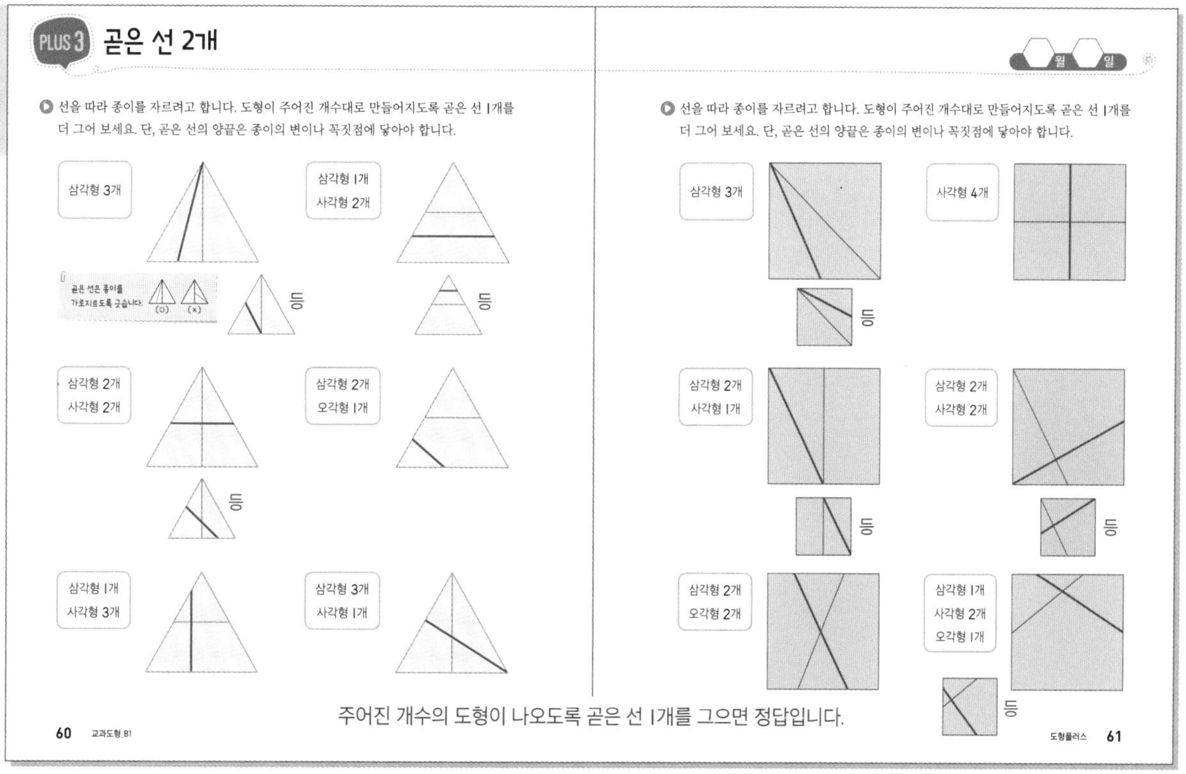

PLUS 3 곧은 선 2개

월 일

▶ 선을 따라 종이를 자르려고 합니다. 도형이 주어진 개수대로 만들어지도록 곧은 선 1개를 더 그어 보세요. 단, 곧은 선의 양끝은 종이의 변이나 꼭짓점에 닿아야 합니다.

삼각형 3개

곧은 선은 종이를 가로지르도록 긋습니다. (○) (×)

등

삼각형 1개 사각형 2개

등

삼각형 2개 사각형 2개

등

삼각형 2개 오각형 1개

삼각형 1개 사각형 3개

삼각형 3개 사각형 1개

▶ 선을 따라 종이를 자르려고 합니다. 도형이 주어진 개수대로 만들어지도록 곧은 선 1개를 더 그어 보세요. 단, 곧은 선의 양끝은 종이의 변이나 꼭짓점에 닿아야 합니다.

삼각형 3개

등

사각형 4개

삼각형 2개 사각형 1개

등

삼각형 2개 사각형 2개

등

삼각형 2개 오각형 2개

삼각형 1개 사각형 2개 오각형 1개

등

주어진 개수의 도형이 나오도록 곧은 선 1개를 그으면 정답입니다.

60 교과도형_B1

도형플러스 61

정답

64쪽 · 65쪽

형성평가 1회

1 삼각형을 찾아 ◯표 하세요.

(   ) (◯) (   )

2 왼쪽 도형과 똑같이 그리고, 도형의 이름을 써 보세요.

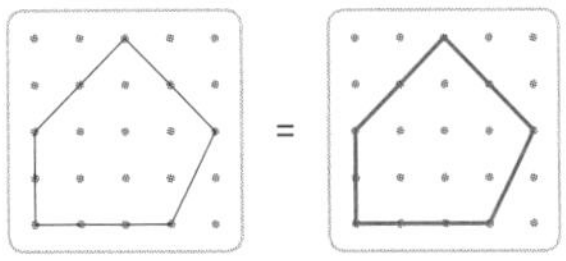

(오각형)

3 변의 수가 많은 도형부터 차례로 기호를 써 보세요.

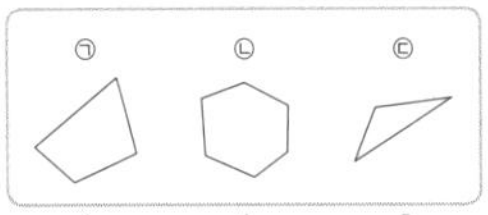

4 6 3

㉡ - ㉠ - ㉢

4 색종이를 점선을 따라 자를 때 나오는 도형의 이름과 개수를 써 보세요.

삼각형 ➡ 4 개

5 빈칸에 알맞은 수를 써넣으세요.

사각형은 삼각형보다 꼭짓점이 1 개 더 많습니다.
4−3=1

육각형은 사각형보다 변이 2 개 더 많습니다.
6−4=2

6 크고 작은 사각형은 모두 몇 개일까요?

1칸짜리: 4개
2칸짜리: 1개
3칸짜리: 2개
4칸짜리: 1개

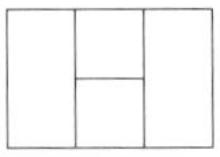

(8)개

66쪽 · 67쪽

형성평가 2회

1 삼각형에는 '3', 사각형에는 '4', 오각형에는 '5'를 써 보세요.

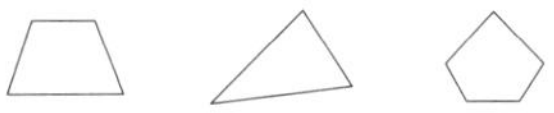

(4) (3) (5)

2 점을 이어 오각형과 육각형을 그려 보세요.

오각형

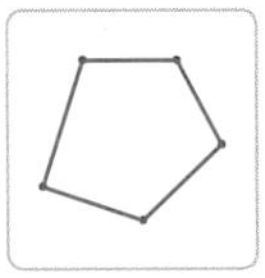

육각형

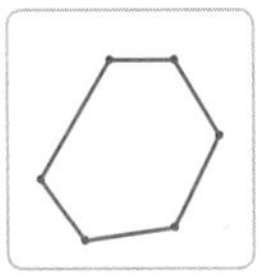

3 왼쪽 삼각형에서 • 표시된 점으로 꼭짓점을 늘린 사각형을 그려 보세요.

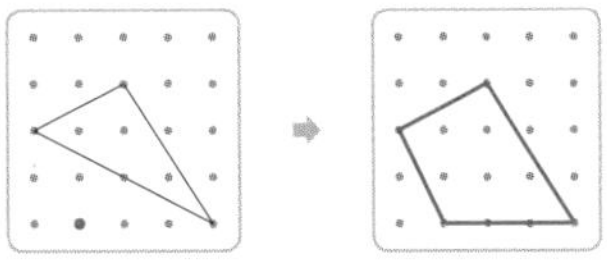

4 사각형을 찾아 사각형 안에 있는 수의 합을 구해 보세요.

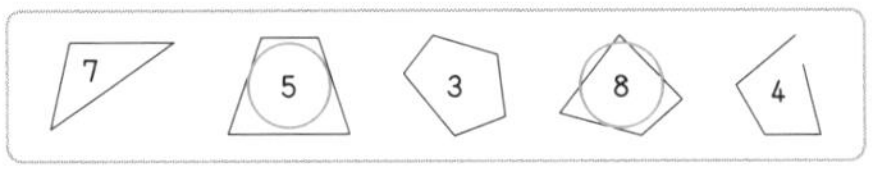

5+8=13

(13)

5 점을 이어 도형의 안쪽에 점이 3개 있는 오각형을 그려 보세요.

도형의 안쪽에 점이 3개 있는 오각형을 그리면 정답입니다.

6 주어진 조각으로 사각형을 만듭니다. 사각형 안에 조각을 놓는 선을 그어 보세요.

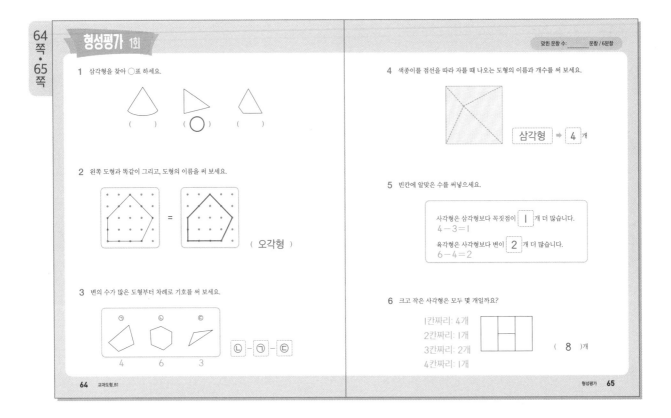

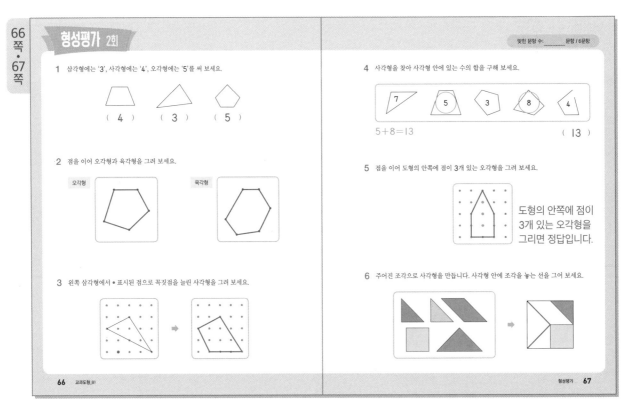

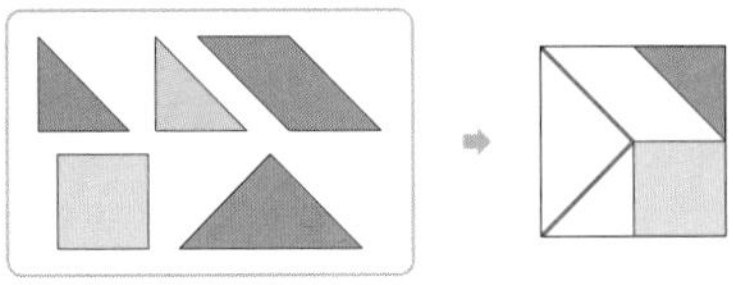

하루 한 장 60일 집중 완성 교과도형

"한 권이면 충분합니다."

도형을 다양한 문장과 그림,
수식으로 표현합니다.

감각
sense

도형 학습의 바탕이 되는
공간감각을 길러줍니다.

표현
expression

측정
measurement

측정을 더하여
도형 학습을 완성합니다.